보고 듣고 생각하는

날씨의 과학

기상학자가 알려 주는
날씨와 기후 변화 이야기

파올로 소토코로나 글 | 일라리아 파치올리 그림
김현주 옮김 | 신방실(KBS 기상전문기자) 감수 · 추천

추천의 글

일상 속 날씨에 과학을 더하면 놀라운 세상이 열려요

여기 특별한 날씨 과학책이 있습니다.

파올로 할아버지와 손녀 아르테미시아는 여행길에서 다양한 날씨를 만납니다. 안개와 구름, 비와 바람, 천둥 번개까지 일상에서 늘 볼 수 있는 흔한 날씨지요. 하지만 파올로 할아버지는 사람들에게 날씨를 전해 주는 기상학자로서 그냥 지나치지 않습니다. 날씨에 대해 친절하게 설명해 주는 동시에 아르테미시아가 날씨를 과학의 눈으로 바라볼 수 있도록 도와줍니다. 파올로 할아버지는 결코 어려운 말을 쓰지 않습니다. 아르테미시아가 알아들을 수 있는 쉬운 비유로 날씨의 원리를 하나하나 짚어 줍니다.

아르테미시아도 호기심을 빛내며 파올로 할아버지의 설명에 귀를 기울입니다. 거침없이 질문하면서 궁금증을 풀고, 또 다른 궁금증을 품어 가면서 점점 지식의 폭을 넓혀 가지요. 그때 파올로 할아버지가 손녀에게 해 주는 말이 매우 인상적입니다.

“무언가를 배울 때마다 넌 한 계단씩 올라가는 거란다. 하지만 그 계단은 무척 길단다. 평생 올라가도 끝나지 않을 계단이지.”

평생 날씨를 연구해 온 과학자만이 할 수 있는 말이라서 다른 책에서는 느낄 수 없는 깊은 감동이 밀려왔습니다. 겸손함을 지닌 파올로 할아버지는 분명 훌륭한 기상학자일 것입니다.

그런 파올로 할아버지와 함께하는 아르테미시아의 미래가 궁금해집니다. 지식과 경험을 차근차근 쌓으며 한 계단씩 올라가서, 어느 순간에는 기상학자 할아버지와 비슷한 수준에 이를지도 모릅니다. 상상만으로도 멋지지 않나요? 그것은 과학을 사랑하는 모든 어린이들의 미래이기도 합니다.

이제부터 기상학자 할아버지가 안내하는 날씨 과학의 세상을 경험해 보세요. 미처 알지 못했던 날씨의 원리를 깨우치게 된다면, 따뜻한 햇살과 얼굴을 스치는 바람, 땅을 적시는 빗방울이 매 순간 놀랍게 느껴질 거예요.

– 신방실(KBS 기상전문기자)

차례

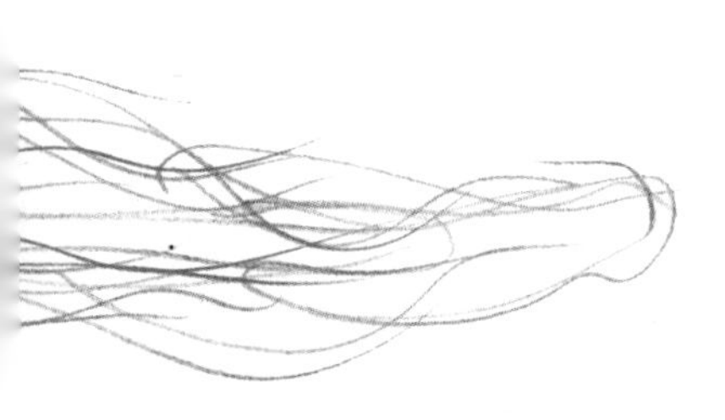

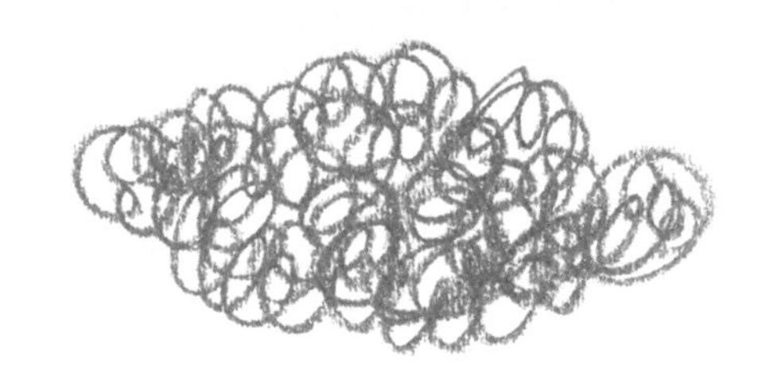

비가 오는 도시에서

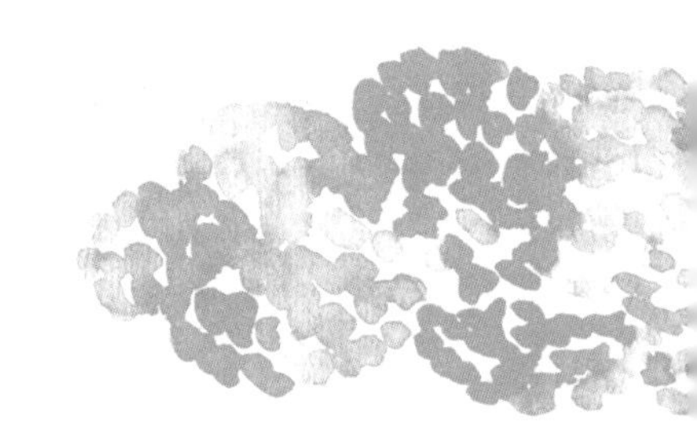

날씨 따라 남쪽으로

특별부록

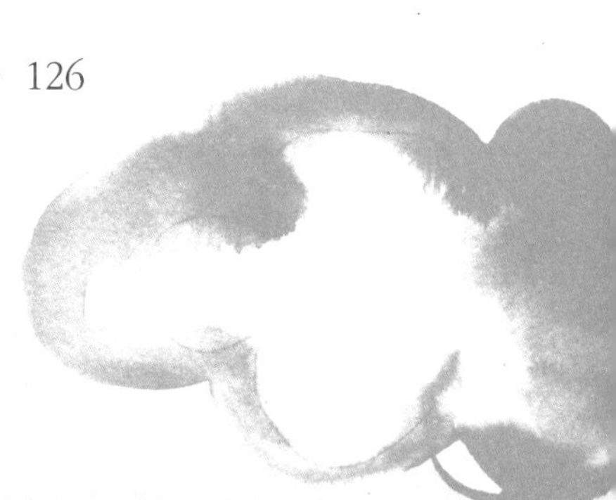

※ 일러두기
유럽 지형과 날씨 정보에 대한
원서의 일부 내용을 우리 어린이들의
이해를 돕기 위해 삭제 · 수정하였으며,
우리나라 실정에 맞는 부록을
수록하였습니다.

날씨 여행의 시작!

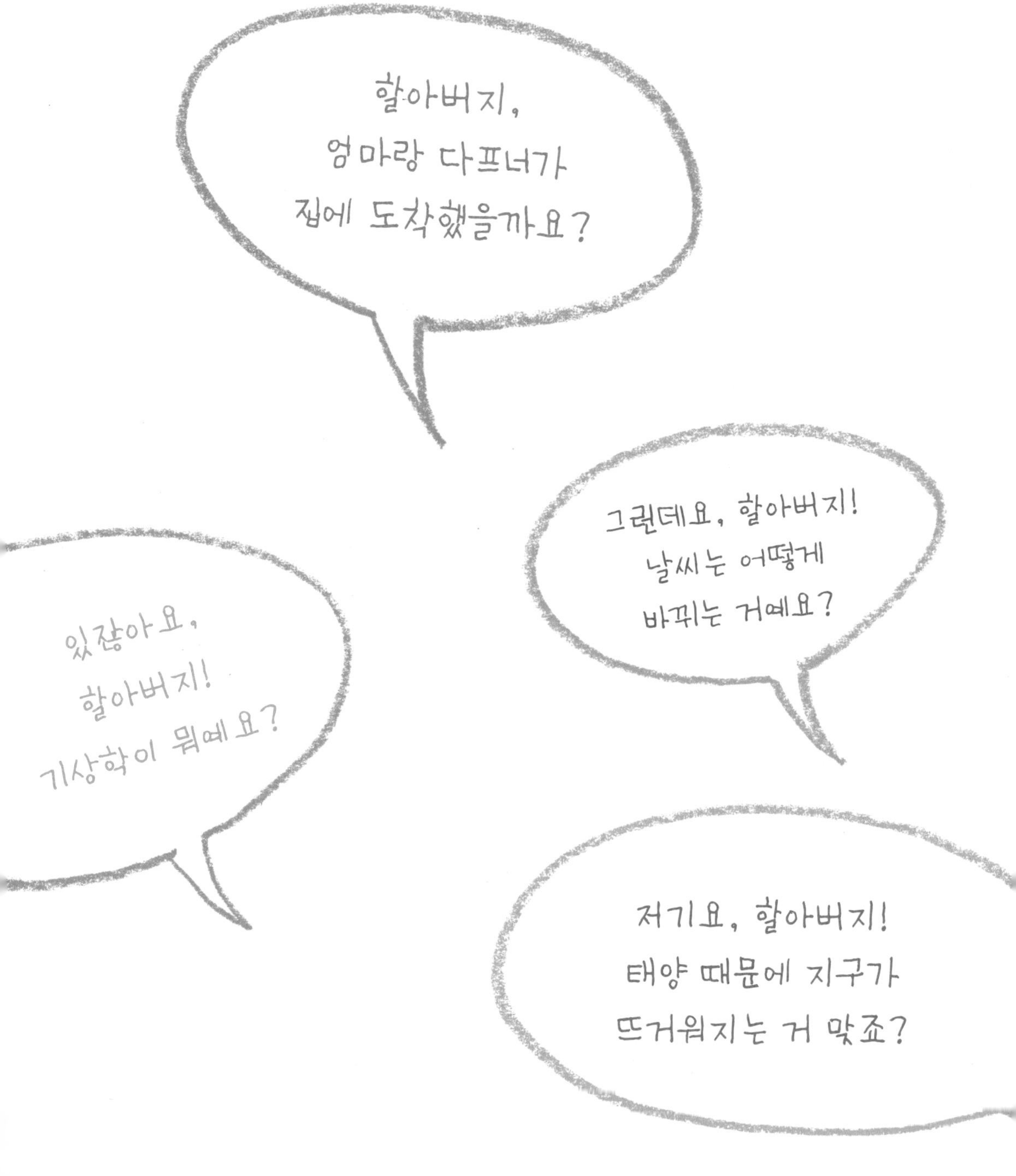

할아버지,
엄마랑 다프너가
집에 도착했을까요?

그런데요, 할아버지!
날씨는 어떻게
바뀌는 거예요?

있잖아요,
할아버지!
기상학이 뭐예요?

저기요, 할아버지!
태양 때문에 지구가
뜨거워지는 거 맞죠?

지구를 따뜻하게 해 주는 태양

나는 파올로라고 해요. 날씨를 연구하고 사람들에게 날씨를 전해 주는 기상학자예요. 그리고 손녀 아르테미시아의 다정한 할아버지기도 하고요.

아르테미시아는 아프리카에 있는 기니비사우에 살고 있어요. 내가 있는 이탈리아와 멀리 떨어져 있어서 자주 보기는 힘들지요. 그래도 이번 여름휴가에 아르테미시아가 가족과 함께 이탈리아에 놀러 왔어요. 오랜만에 가족 모두를 만나 무척 반가웠지요. 몇 주 정도 머물다가 아르테미시아만 나와 좀 더 있기로 하고, 다들 기니비사우로 돌아갔어요. 나는 아르테미시아를 위해 로마 근처에 있는 산으로 놀러 갔지요. 산에서 손녀와 함께 보내는 시간은 즐거웠어요. 시간이 눈 깜짝할 사이에 흘러갈 정도였죠.

이제 아르테미시아도 집으로 돌아가야 할 때가 됐어요. 이탈리아에서 기니비사우까지는 꽤 긴 여행이 되겠지요.

"아르테미시아, 준비됐니?"

"네, 할아버지. 다 됐어요."

우리는 차에 짐을 싣고 산을 내려가기 시작했어요. 산에서 내려가는 길은 매우 구불구불했지만, 햇살이 좋아서 가뿐한 마음으로 천천히 운전했어요. 아르테미시아는 조금 지루했는지 끝없이 질문을 쏟아 내더군요.

"저기요, 할아버지! 태양 때문에 지구가 뜨거워지는 거 맞죠?"

"그렇지."

"그런데 왜 산꼭대기가 산 아래보다 추운 거죠? 태양과 가까우니까 더워야 하잖아요."

"태양이 지구를 직접 데우는 건 아니란다. 태양 광선이 대기를 통과하기는 하지만, 공기는 잘 데워지지 않거든. 그 대신 지구의 표면인 땅을 데운단다. 왜냐하면 공기의 비열(어떤 물질 1그램의 온도를 1도만큼 올리는 데 필요한

열에너지의 양)이 땅의 비열보다 크기 때문이야. 그래서 공기와 땅이 같은 태양열을 받아도 공기보다 땅이 더 잘 데워지는 거란다. 그렇게 데워진 땅의 열이 지표면 가까이에 있는 공기를 데우는 것이지."

"그래서 산이 더 추운 거군요? 땅과 멀리 떨어져 있어서요."

"그렇지!"

"잠깐만요! 하지만 산도 땅이라고 볼 수 있지 않나요?"

"산도 땅이기는 하지만 뾰족한 모양이잖니? 그래서 햇빛이 닿는 표면이 좁아서 잘 데워지지 않는 거란다. 반대로 평지는 햇빛이 닿는 표면이 넓어서 산보다 더 뜨겁게 데워지는 것이지."

"아무래도 공책에 적으면서 할아버지의 이야기를 들어야겠어요. 기억해야 할 것들이 무지 많을 것 같거든요."

"그래, 좋은 생각이구나. 네 배낭에 공책이 한 권 있을 거야. 몇 년 후에 네가 적어 놓은 것을 다시 읽어 보면 지금처럼 어렵게 느껴지지 않을 거야."

구름과 안개는 어떻게 다른가요?

우리는 산길을 계속 내려갔어요. 그러다 갑자기 멈춰 서야 했죠.

"이런! 할아버지, 아무것도 안 보여요! 이거 안개 맞죠?"

"뭐, 그럴 수도 있고, 그렇지 않을 수도 있지."

"에이, 그게 뭐예요!"

"사실 이건 구름이란다. 낮게 뜬 구름이지. 그런데 지금 이 구름은 안개라고 불러도 된단다."

"가만히 생각해 보니 비행기가 구름 속을 지나갈 때가 있었어요. 바로 지금처럼요. 그때 창밖으로 아무것도 보이지 않았어요."

"그렇지. 그래도 우리는 다행이구나. 구름 속에 있어도 어느 정도 앞이 보이니까 말이야. 천천히 운전해야겠구나. 구름과 안개는 똑같은 원리로 만들어진단다. '아주 작은 크기의 물방울'이 모여서 만들어지지. 하지만 이 물방울들은 아래로 떨어지지는 않는단다. 샤워기에서 나오는 물이나 하늘에서 내리는 빗물처럼 크고 무겁지 않거든. 다만 안개와 구름의 다른 점은 위치란다. 땅 가까이에 만들어진 것은 안개, 하늘 높은 곳에 만들어진 것은 구름이란다. 재미있는 건 보는 사람의 위치에 따라서 다르게 부를 수 있단

다. 지금 우리처럼 높은 곳에 있을 때는 안개라고 부르고, 산 아래로 내려가 올려다보면 구름이라고 부르는 거지."

나는 잠시 말을 멈추고 운전에 집중했어요. 바로 코앞만 보이고, 아무것도 보이지 않았거든요. 마치 우유를 가득 채운 수영장 속에서 운전하는 것 같았어요. 얼마쯤 시간이 흐른 뒤 주위가 조금씩 밝아지기 시작했어요.

"굉장해요, 할아버지! 안개에서 빠져나왔네요. 산 위에 있을 때는 햇빛이 비쳤는데 지금은 온통 회색이에요. 구름 때문일까요? 지금 머리 위에 있는 구름이 우리가 지나온 안개인가요?"

"그렇단다. 자동차 앞 유리가 젖은 게 보이지? 구름의 물방울들은 아주 아주 작지만 그 작은 물방울들이 모이면 자동차도 적실 수 있단다. 구름이 어떻게 만들어지는지는 비행기에서 차근차근 알려 주마."

기압은 공기의 압력

한참 가고 있는데, 아르테미시아가 소리를 질렀어요.

"할아버지, 이상해요! 귀가 막힌 것 같아요."

"그게 정상이란다. 산에서 내려올 때는 원래 그래. 손가락으로 코를 잡고 숨을 쉬면 귀가 뚫릴 게다."

"잠수할 때처럼 말이죠?"

"바로 그거야! 네가 케레에서 잠수를 해 봤다는 걸 깜빡했구나."

케레는 기니비사우에 있는 작은 섬이에요. 케레에는 아르테미시아의 아빠가 낚시와 관광을 할 수 있도록 만든 조그만 리조트가 있어요. 그래서 아르테미시아는 겨울방학 때마다 케레로 놀러 가더군요.

"이제 귀가 뚫렸어요! 그런데 왜 이런 거죠? 지금 우리가 물속에 있는 것도 아니잖아요."

"귓속의 압력과 공기의 압력을 같게 해 줘서 귀가 뚫린 거란다."

"공기의 압력이요?"

"그래, '기압'이라고 불린단다. 너는 못 느끼겠지만, 공기도 무게가 있단다. 물론 물보다는 훨씬 가볍지만 말이다. 네가 물속에 들어갔을 때를 생각해 보렴. 만약 2미터 깊이까지 잠수를 했다면, 네 위에 있는 2미터만큼의 물이 네 귀를 누르게 되지. 고막이 뭔지 아니?"

"조금 알기는 아는데…… 귓속에 있는 막 아니에요?"

"맞아. 고막은 공기의 진동을 귀 안쪽으로 전달해서 들을 수 있게 해 준단다. 고막은 뼈처럼 단단하지 않고 고무처럼 잘 구부러지지. 그래서 물이 압력을 가하면 고막의 형태가 변한단다. 고막이 귀 안쪽으로 부풀어서 우리는 불쾌감을 느끼고, 물에 깊이 들어가면 들어갈수록 귀가 더 많이 아프게 되는 거야. 그래서 손가락으로 코를 잡고 숨을 쉬어야 하는 거란다. 그렇게 하면 고막을 바깥쪽으로 밀어 원래의 자리로 돌아가게 할 수 있거든. 이렇게 물이 가하는 압력과 귓속의 압력을 똑같이 해 주는 것이지."

"그건 알겠는데요, 공기와 산이 무슨 관련이 있는지 이해가 안 돼요."

"방금 공기가 물보다 가볍기는 하지만 그래도 무게가 있다고 했잖니? 산에 올라가면 '우리 위에 있는' 공기만 우리 귀를 누르는 거야. 그런데 바로 지금처럼 산에서 내려오는 만큼 공기의 무게가 더해지는 거지. 예를 들어 주마. 아까 우리가 1,500미터 높이의 산꼭대기에 있었잖니? 거기서 평지로 내려오면 내려올수록 우리 귀 위로 조금씩 조금씩 1,500미터만큼 공기의 무게가 더해지게 되는 거야. 산에서 내려오기 전에는 우리 아래에 있

던 공기가 평지에서는 머리 위에 있게 되는 거지. 말하자면 우리가 1,500 미터 깊이의 공기 속으로 '다이빙'을 한 것이란다."

"네, 조금 어렵지만 알 것 같아요. 기압 하니까 갑자기 떠오른 게 있어요. 일기 예보를 들을 때 고기압과 저기압이라는 말을 들은 것 같아요."

"공기의 압력이 낮은 것은 저기압, 공기의 압력이 높은 것은 고기압이라고 부른단다. 말하자면 주변보다 공기의 양이 많으면 공기가 누르는 힘도 세지겠지? 그렇게 공기의 압력이 높아져서 고기압이 되는 거란다. 반대로 주변보다 공기의 양이 적어지면 공기가 누르는 힘도 약해지지. 그렇게 공기의 압력이 낮아져서 저기압이 된단다."

"그렇군요. 그 기압들이 날씨를 바꾸는 거죠? 제가 이탈리아에 있을 때 할아버지가 텔레비전에서 일기 예보를 하시는 거 몇 번 봤는데요, '저기압이 오고 있어서 비가 올 예정'이라고 말씀하셨던 것 같아요."

"조금 복잡하기는 한데, '고기압은 화창한 날씨, 저기압은 궂은 날씨'라는 생각을 가지고 시작하면 아주 좋을 것 같구나. 조만간 왜 그런지도 이야기해 주마."

"알았어요, 할아버지."

아르테미시아는 처음 알게 된 사실들이 꽤 재미있었는지 콧노래를 흥얼거리면서 등받이에 몸을 기댔어요.

이제 우리는 산에서 완전히 내려와 평지에 다다랐어요. 길이 한결 평탄해져서 운전하기가 편했지요. 그런데 아르테미시아가 아무 말 없이 창밖만 바라보고 있었어요. 원래 이렇게 오랫동안 입을 다물고 있는 성격이 아닌 아이라서 걱정이 되기 시작했어요. 뒷거울로 손녀를 살펴보니 평소와

조금 달라졌더군요. 꽤나 진지하고 심각해 보였어요.

"괜찮은 거니?"

"네, 할아버지. 괜찮아요."

"어디 아픈 거 아니니? 혹시 멀미가 나니?"

"아니, 아니에요. 정말 괜찮아요."

"그런데 왜 그래? 집에 가는 게 기쁘지 않아?"

"당연히 기쁘죠. 아빠랑 엄마랑 동생 다프너가 얼마나 보고 싶은지 몰라요. 하지만 아쉽기도 해요. 할아버지랑 있는 게 정말 좋았는데, 이렇게 가면 언제 또 뵙게 될지 모르잖아요."

나는 깜짝 놀랐어요. 항상 어리게만 생각했던 아이가 어느새 생각이 깊어지고 훌쩍 큰 것 같았거든요.

"너무 걱정하지 마렴. 금방 또 만날 테니까."

"할아버지, 솔직하게 대답해 주세요. 제가 질문이 너무 많이 해서 지겨우셨죠?"

"지겹다니! 오히려 내가 너한테 해 준 대답들이 지루했을 것 같은데……. 할아버지는 네가 뭔가를 물어보는 게 참 좋단다. 네가 이해할 수 있도록 쉬운 설명을 이리저리 고민하다 보면 두뇌 훈련에 좋지. 무엇보다 내가 아는 걸 너와 함께 이야기하는 것이 즐겁단다. 내가 해 주는 이야기들이 나중에 너에게 도움이 되면 좋겠구나. 그러니까 얼마든지 물어보렴. 호기심은 새로운 것을 배우고 익히는 데 가장 기본이 되는 덕목이란다. 어이쿠, 벌써 공항에 다 왔구나."

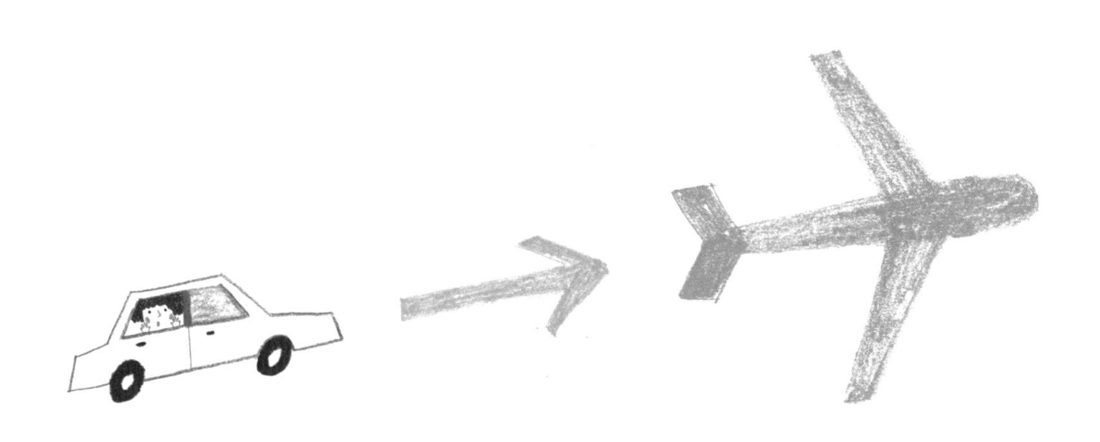

왜 산에서 내려오면 공기의 압력이 높아지는 거죠?

산 아래 평지 Ⓐ에서 우리를 누르는 공기의 양이 산꼭대기 Ⓑ에서 우리를 누르는 공기의 양보다 많아요. Ⓐ 지역의 공기는 Ⓑ 지역의 공기에 Ⓒ 만큼의 공기가 더해졌으니까요. 공기의 양이 많을수록 누르는 힘이 세지니까 공기의 압력은 높아지는 거예요.

예를 들어 평지에서 공기를 반만 채운 고무공을 가지고 높은 산을 오르면, 공이 조금씩 부풀어 오를 거예요. 높이 올라갈수록 고무공을 누르는 공기의 힘이 약해져서 그렇지요. 거꾸로 부풀어 오른 공을 가지고 산을 내려오면, 고무공은 다시 쪼그라들 거예요. 고무공을 누르는 공기의 힘이 세져서 그런 것이지요.

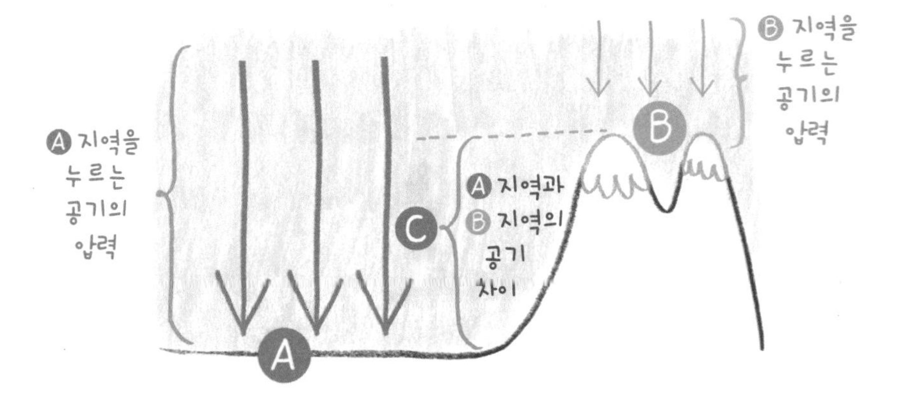

바람이 부는 공항에서

날씨에 대해 알고 싶어요

아르테미시아와 나는 공항 밖에서 짐을 정리하기 시작했어요. 하늘은 어둡고 바람이 정말 많이 불었어요. 다행히도 그렇게 춥지는 않았지요. 아르테미시아의 갈색 곱슬머리가 바람에 나부꼈어요. 아르테미시아는 짐 가방이 날아갈세라 가방 손잡이를 꽉 움켜쥐었어요.

"세상에나, 할아버지! 바람이 너무 세요. 공기는 할아버지 말씀처럼 가볍기는 하지만 가끔은 아주 세게 느껴져요. 혹시 바람이 사람을 넘어뜨릴 수도 있나요?"

"물론이지! 바람은 그보다 훨씬 더 끔찍한 일을 벌일 수도 있단다."

"바람이 세기는 정말 세군요! 하지만 바람이 나쁜 건 아니겠죠?"

"나쁜 건 아니지. 자연에서 나쁜 것은 아무것도 없단다. 가끔 위험할 수는 있겠지만, 자연을 해치지 않고 자연과 더불어 살아간다면 안전하게 느껴질 수도 있지. 자, 이제 공항에 들어가서 비행기 표를 끊자꾸나. 그래야 마음 편하게 뭐라도 먹으면서 네가 궁금해하는 바람에 대한 이야기를 나눌 수 있잖니. 바람은 알면 알수록 흥미롭거든."

"네, 그래요. 그게 좋겠네요. 여기 있다가는 다 날아가 버리겠어요."

우리는 바람을 피해 짐을 잔뜩 실은 카트를 끌고 공항 안으로 들어갔어요. 그리고 리스본으로 가는 비행기 표를 끊었어요. 이탈리아에서 기니비사우로 가려면 리스본을 경유해야 하거든요. 우리는 대기실에 자리를 잡고 앉았어요. 나는 커피를, 아르테미시아는 과일 주스를 홀짝이며 비행기 출발 시간을 기다렸지요.

"오늘은 날씨가 흐리네요. 그런데 할아버지, 날씨가 뭐예요? 바람이 부는 것도 날씨인가요?"

"그렇지. 바람이 불고, 비가 오고, 눈이 내리는 것 모두 날씨란다. 춥거나 더운 것도 날씨라 볼 수 있지. 말하자면 날씨는 그날그날 일어나는 구름, 바람, 비, 기온 등의 변화를 말하는 거란다."

"할아버지는 날씨를 연구하고, 사람들에게 날씨를 알려 주시잖아요. 그게 뭐더라. 기승학자? 기성학자?"

"기상학자란다. 기상학이라는 말이 어렵지? 이렇게 생각해 보면 어떨까. 아침에 군인들을 깨울 때 '기상!'이라고 소리친단다. 여기서의 '기상'은 잠자리에서 일어난다는 뜻이라서 날씨의 뜻을 가진 '기상'과는 다르지. 하지만 이렇게 생각해 보렴. 아침에 일어나면 오늘 날씨가 궁금하지 않니? 이런 식으로 연결하면 잘 기억할 수 있을 것 같구나."

"우아, 진짜 쉬워요. 아침 기상, 날씨 기상! 진작 알려 주셨으면 좋았을 텐데요. 가끔 제가 잘 기억하지 못하고 잘 이해하지 못할 때도 있지만, 절대 할아버지의 이야기가 지겨워서 그런 건 아니에요. 오히려 정말 재미있는걸요."

"그렇게 말해 주니 고맙구나."

공기가 움직이면 바람이 돼요

"아까 공항으로 오는 길에 기압이 날씨에 영향을 끼친다고 했잖니? 그런데 기압으로 생기는 현상이 또 있단다."

"생긴다고요? 아이가 생기는 것처럼 말인가요?"

"오, 그래! 기압을 부모라고 생각하면, 기압에서 생긴 아이가 바로 바람이란다. 조금 더 정확하게 설명해 주마. 두 지역이 서로 기압이 달라서 그 차이 때문에 공기가 움직이는데, 그게 바로 바람인 거지. 공기가 움직이지 않으면 바람도 불지 않겠지?"

"지금 밖에 바람이 많이 불잖아요! 그렇다면 공기가 엄청 많이 움직이고 있는 거네요? 전 오늘처럼 바람이 세게 부는 건 처음 봤어요."

"그럼 바람에 대해 좀 더 알아볼까? 고기압과 저기압에 대해 이야기했던 것 기억나니?"

"공기가 많아지고 무거워져서 공기의 압력이 높아진 것은 고기압, 공기가 적어지고 가벼워져서 공기의 압력이 낮아진 것은 저기압! 제 공책에 그렇게 적혀 있네요. 맞나요?"

"그래, 맞아."

"높고 낮다고 하니까 케레에서 본 바다가 생각나요. 파도가 치면 물결에 높은 부분과 낮은 부분이 있었어요. 혹시 대기 중에도 높은 공기와 낮은 공기가 있는 건가요?"

"아르테미시아!"

"아이코, 할아버지가 아르테미시아라고 제 이름을 정확하게 부르시는 건 진지하다는 뜻인데…….”

“진지하지, 진지하고말고. 네가 아주 정확하게 짚어 냈구나. 대기 중에도 공기의 ‘파도’가 있단다. 공기가 위아래로 움직이거든. 그럼 이번에는 이렇게 생각해 보겠니? 파도의 높은 부분은 고기압, 파도의 낮은 부분은 저기압이라고 말이야.”

“네, 머릿속에 공기 파도를 떠올렸어요.”

“그렇다면 높은 부분인 고기압의 공기와 낮은 부분인 저기압의 공기는 어떻게 움직일까? 천천히 생각해 보렴. 공기가 물처럼 움직인다면?”

“물처럼 움직이는 공기…… 위에 있으면, 내려오는 건가요?”

“바로 그거야!”

“그렇다면 높은 곳에 있던 공기가 내려오면, 낮은 곳의 공기는 어떻게 되나요? 올라가나요?”

“그래, 그걸 기억해 두렴. 그러니까…….”

“할아버지, 잠깐만요! 이게 상관이 있을지 모르겠는데요. 예전에 할아

버지가 1인용 플라스틱 수영장의 물을 비우려면 어떻게 해야 하는지 알려 주셨잖아요. 수영장 바닥 쪽에 있는 배수구의 마개를 열라고 하셨죠. 배수구 마개를 열면 아래로 물이 흐르니까요. 그러니까 바람도 물처럼 아래로 흐르는 건가요?"

"그렇지, 바로 그거야."

"고마워요, 할아버지! 모르고 그냥 넘어갈 뻔했는데, 물을 예로 드니까 수영장도 생각나고 이제는 잘 알 것 같아요."

"그게 바로 물리학인데, 물리학의 원리는 우리 주변에서 일어나는 수많은 현상에서 찾아볼 수 있단다. 수영장을 가득 채운 물의 높이는 배수구 마개가 달린 쪽보다 높으니까 물이 아래쪽으로 흐르게 된 거지. 물이 '위'에서 '아래'로 흐르는 것처럼 공기도 압력이 '높은' 지역(고기압)에서 압력이 '낮은' 지역(저기압)으로 흐른단다. 생각보다 쉽지?"

"네! 그런데 공기의 압력, 그러니까 기압이라는 게 굉장히 센가 봐요. 바람을 다 움직이다니 말이에요."

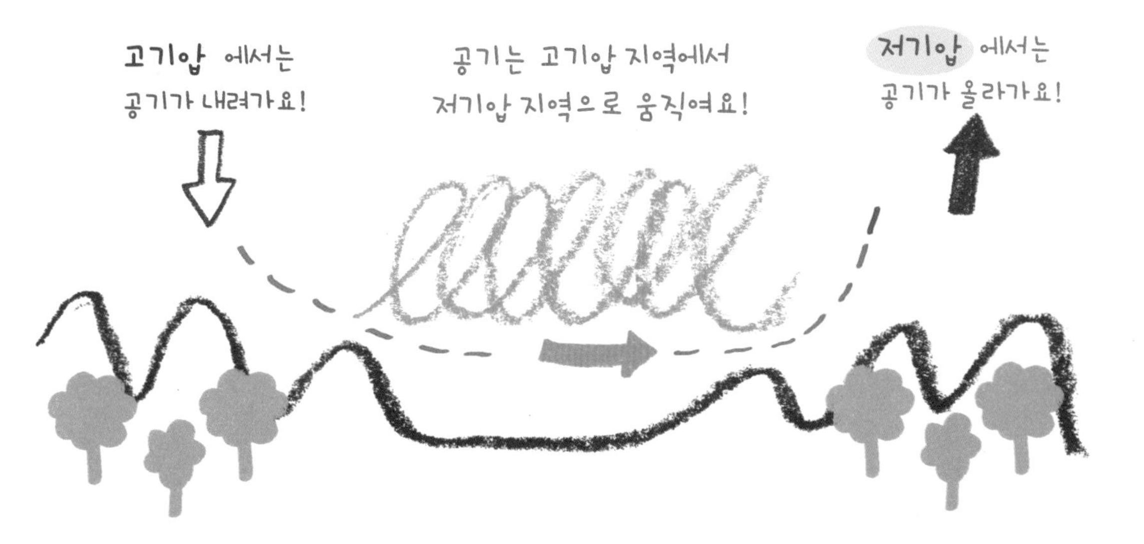

"아주 세지. 공기가 가볍다고는 해도 어쨌든 무게가 있다고 했잖니. 그리고 바람은 그 공기가 엄청나게 많이 모여서 만들어지거든. 만약에 공기의 무게를 모두 잴 수 있다면, 지금 공항에 있는 공기의 무게가 아마 수백만 톤은 될 거야."

"정말요? 1톤만 해도 굉장히 무거운 거잖아요!"

"그렇지. 1,000킬로그램이니까 엄청난 무게지."

"공항 안의 공기는 '부드러워서' 다행이에요. 안 그랬으면 공항에 있는 사람과 물건이 모두 날아가 버렸을 테니까요!"

"공기가 부드럽다는 표현이 참 좋구나."

"공기가 부드럽다는 말을 쓰면 안 되는 건가요?"

"아니, 안 될 것까지는 없지. 오히려 네 생각과 느낌을 나에게 잘 전달했단다. 바람이 '약하다'라고 정확하게 표현하는 건 그다지 중요하지 않아. 중요한 건 듣는 사람이 네가 어떤 생각과 느낌을 가지고 있는지 잘 이해할 수 있게끔 너만의 방식으로 표현하는 거지. 바람이 '부드럽다'고 말한 것처럼 표현은 다양할수록 좋단다."

"그렇다면 할아버지도 굉장하세요! 제게 무엇이든 잘 설명해 주시잖아요. 할아버지의 생각이 제 머릿속에 쏙쏙 들어오거든요."

"너도 알다시피 날씨와 기후는 내가 잘 아는 거잖니. 내 직업이니까 간단하게 설명하는 것이 내게는 어렵지 않단다."

번개는 빛, 천둥은 소리

우리는 바람에 대한 이야기를 나누면서 보안 검색대 쪽으로 향했어요. 아직 한낮인데도 하늘이 잔뜩 흐렸더군요. 갑자기 '우르르 쾅쾅' 천둥이 울렸어요. 소리가 커서 몇 초 동안 공항 유리창들이 뒤흔들렸고, 사람들은 모두 소스라치게 놀랐어요.

아르테미시아도 놀란 것 같았는데, 금방 아무렇지 않은 표정이 돼서 창문 너머 하늘을 물끄러미 바라보더군요. 자연현상이 무섭기도 하지만, 궁금하기도 한 모양이에요.

"할아버지, 방금 천둥 친 거죠?"

"둘 중에 어떤 거 말이냐?"

"둘 중에 어떤 거라고요? 무슨 말씀이세요?"

"불빛을 말하는 거니, 소리를 말하는 거니?"

"그게…… 잘 모르겠네요. 두 가지 다요?"

"번개라는 빛과 천둥이라고 하는 소리가 함께 발생하는 것을 보통 '천둥번개(뇌전)'라고 부른단다."

"하지만 아까는 두 가지가 같이 일어나지 않았잖아요. 불빛이 먼저 번쩍이고, 나중에 소리가 났는걸요."

"그랬지. 그런데 그건 천둥 번개가 일어나는 거리에 따라서 달라지는 거란다. 실제로는 두 가지가 동시에 만들어지지."

"같이 만들어진다고요? 그런데 왜 아까는 번개가 먼저 보인 거죠?"

"왜냐하면 천둥 번개가 여기서 1킬로미터 정도 떨어진 곳에서 발생했기

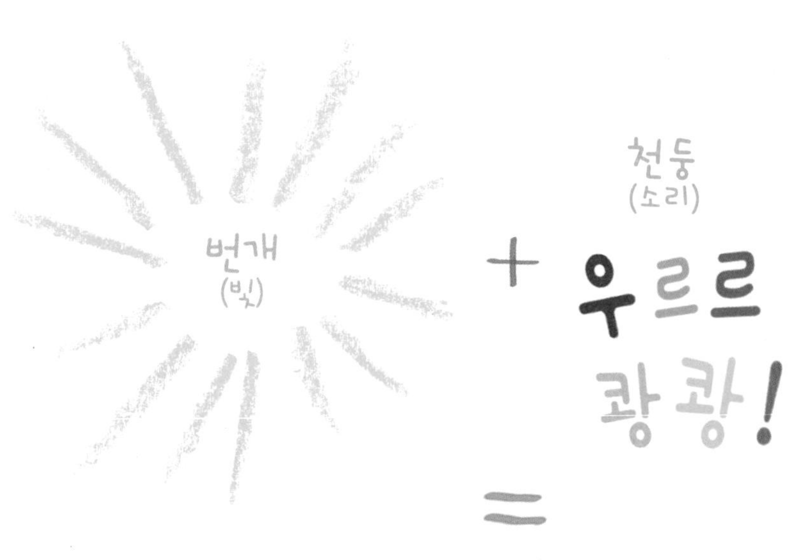

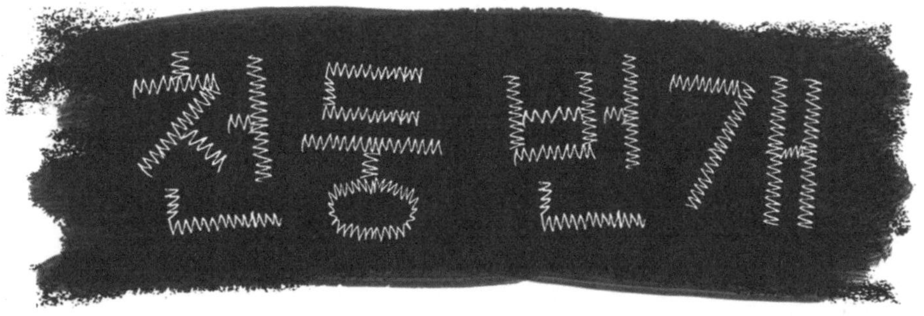

때문이지."

"1킬로미터요? 할아버지가 그걸 어떻게 아세요? 창밖을 내다보고 계시지 않았는데……."

"그랬지. 하지만 꼭 하늘을 관찰하지 않아도 소리만으로 알 수 있단다."

"어떻게 그럴 수 있는지 전 도무지 모르겠어요."

"번개와 천둥은 동시에 만들어지지만, 서로 속력이 다르단다. 그래서 우리에게는 번개가 먼저 도착하고, 천둥이 나중에 도착하는 거지. 물론 그 시간 차이는 단 몇 초밖에 되지 않지만 말이다. 예를 들면, 두 내의 사농자가 있는데 한 대는 빠르고 다른 한 대는 느린 거야. 이 두 자동차가 동시에 출발하면 빠른 자동차가 먼저 도착하겠지?"

"그렇겠죠. 하지만 거리를 킬로미터까지 알아맞히는 건 진짜 신기해요. 무슨 마법사 놀이도 아니고요. 혹시 그냥 넘겨짚으신 거예요?"

"당연히 아니지. 말하자면 이것도 아주 쉬운 놀이라고 할 수 있단다. 아주 쓸모 있는 놀이기도 하고 말이야."

"할아버지, 궁금해요! 빨리 알려 주세요."

"빛은 매우 빠르단다. 우리가 상상도 할 수 없을 정도의 속력이지."

"상상도 할 수 없다고요? 대체 얼마나 빠른데요? 한 시간에 '백만' 킬로미터나 이동하는 건가요?"

"어릴 적에 아주 많다는 표현을 무조건 '백만'이라고 하더니, 여전하구나. 하지만 이건 '백만'으로는 어림도 없을 것 같구나. 빛이 1초에 30만 킬로미터를 이동하니까 한 시간에는 10억 킬로미터 정도 이동할 것 같으니

말이다."

"그렇게 빠른 빛의 속력을 할아버지는 어떻게 계산하신 거예요?"

"작은 속임수를 쓴 거란다. 사실 빛이 1초에 이동하는 거리가 얼마나 되는지는 계산할 필요가 없어. 그리고 빛의 속력은 워낙 빠르잖니. 그 대신 소리의 속력을 알면 된단다. 소리는 1초 동안 300미터가 조금 넘는 거리를 이동하지."

"애개, 빛에 비하면 달팽이 수준이네요."

"그렇지. 소리는 3초는 걸려야 1킬로미터를 이동할 수 있으니까."

"아하! 할아버지 정말 머리 좋으시네요. 어떻게 하신 건지 알겠어요."

"정말 어렵지 않지? 번개가 번쩍이고 나서 천둥이 칠 때까지 몇 초가 흘렀는지를 헤아리면 돼. 3초씩 차이가 날 때마다 번개와 천둥의 거리가 1킬로미터씩 멀어지는 거야. 6초면 2킬로미터, 9초면 3킬로미터…… 이런 식으로 말이다."

그사이 번개가 번쩍하고, 천둥이 엄청난 소리를 냈어요. 하지만 아르테미시아는 빛과 소리의 속력 이야기에 정신이 빠져 있었는지 전혀 눈치채지 못한 것 같았어요.

그런데 아직도 우리 차례는 멀었어요. 보안 검색대의 줄이 줄어들지 않는 것 같네요.

"아르테미시아, 더 기다려야 할 것 같구나. 기다리는 동안 번개와 천둥의 시간 차이가 몇 초나 되는지 헤아려 볼까?"

"좋아요. 그런데 그게 쓸모가 있다고 하셨잖아요. 어디에 쓸모가 있는 거죠?"

"천둥 번개가 우리에게서 멀어질수록 태풍이 멀어지고 있다는 것을 뜻한단다. 그럼 마음 편히 있을 수 있지. 적어도 한동안은……."

"이번에도 그렇게 말씀하시네요."

"이번에도라니?"

"할아버지가 '마음 편히 있을 수 있다'고 말씀하실 때는 항상 그다음에 '적어도 한동안은' 같은 말이 따라붙어요. 제 생각에 할아버지의 그 말은 마음 편히 있을 수 없다는 뜻 같아요."

"맞아. 왜냐하면 완벽하게 확실한 건 없기 때문이야. 한 가지 장애물을 뛰어넘으면 잠시 마음이 편하겠지만, 그다음에 장애물이 또 기다리고 있거든."

"그렇게 좋은 일은 아닌 것 같네요."

"하지만 넌 좋아할걸? 모든 것이 쉽게만 끝나면 지루하다는 걸 잘 알잖니? 그리고 장애물은 뛰어넘으라고 있는 거란다! 다시 우리가 했던 이야기로 돌아가 보자. 천둥 번개에 대해 이야기하고 있었지?"

"제가 천둥과 번개가 몇 초나 차이가 나는지 헤아려 볼게요."

몇 분 동안 아르테미시아는 아무 말 없이 시간을 재는 데만 집중했어요.

"번개와 천둥의 시간 차이가 점점 커지고 있어요. 그러니까 천둥 번개가 우리가 있는 곳에서 점점 멀어지고 있다는 거죠?"

"그래, 내 생각에도 그렇구나. 아까 가까이에 있던 천둥 번개는 사라졌진 것 같고."

"그럼 아까 천둥 번개가 여기를 지나간 거예요?"

"번개와 천둥이 하나인 것처럼 동시에 발생하면 우리 가까이에, 아주 가

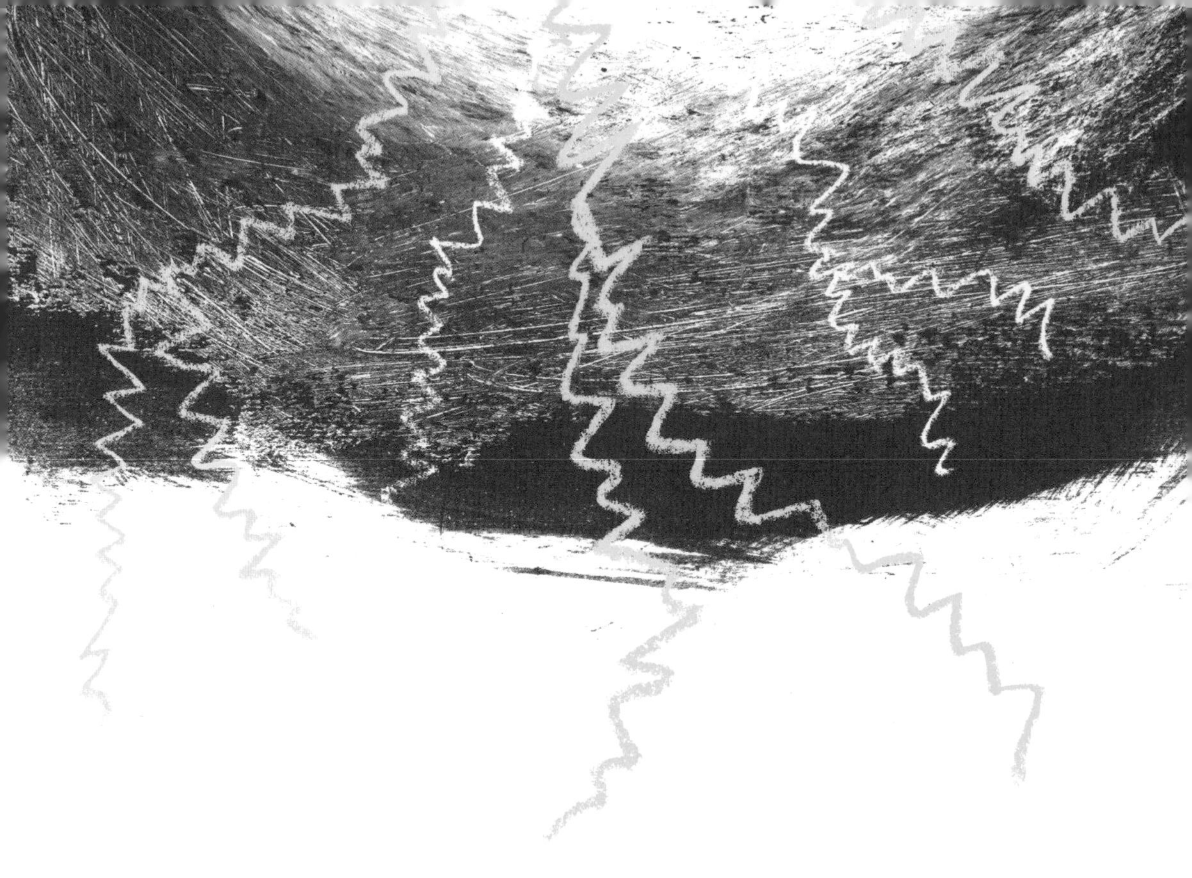

까이에 있다는 뜻이란다."

"음, 그렇군요. 그런데요, 할아버지. 번개는 위험한 거죠? 저는 번쩍하는 번개가 집에서 사용하는 전기와 비슷하지만 그것보다는 더 강한 걸로만 알고 있어요."

"훨씬 더 강하지. 그만큼 아주 위험하기도 하고. 번개를 설명하려면 우선 정전기를 알아야겠구나. 100퍼센트 양모와 같은 천연 섬유가 아니라 합성 섬유가 섞인 스웨터를 벗을 때 조금 따끔거리는 느낌이 들었을 거야. 그건 옷을 입을 때의 움직임과 스웨터 표면의 마찰 때문에 생긴 아주 작은 불꽃, 그러니까 미세한 정전기 때문이란다. 번개가 정전기와 똑같은 방식으로 만들어진다고 할 수 있지."

"그럼 정전기를 작은 번개라고 할 수 있는 건가요?"

"그렇단다. 좀 더 자세히 설명하자면 뇌운(천둥, 번개 등을 몰고 오는 구름) 속에서 공기와 물방울들, 작은 얼음 알갱이들이 서로를 꾸준히, 아주 많이 '문질러서' 조금씩 전기를 모은단다. 그런 전기는 너도 만들 수 있어. 플라스틱 볼펜의 손잡이 부분을 털 헝겊으로 문지르기만 해도 약하지만 어쨌든 전기가 발생하거든. 문지른 부분을 종잇조각에 가까이 가져가면, 볼펜 손잡이가 종잇조각을 끌어당기는 것을 볼 수 있을 거야. 어떤 것이든 움직임이 강하거나 어떤 식으로든 마찰이 되면 전기가 만들어진단다."

"가끔 자동차에서 내릴 때, 문에 손을 대면 살짝 따끔할 때도 있어요. 그것도 정전기인가요?"

"그렇지. 이처럼 번개는 어디서든지 찾아볼 수 있단다."

"하지만 이런 건 작은 충격만 주잖아요. 번개는…… 아주 위험하다면서요."

"맞아, 왜냐하면 정전기에서 느껴지는 '전기 충격'은 아주 약한 편이지만, 그 전기들의 숫자가 엄청나게 늘어나고 한데 합쳐지면 이야기가 달라지지. 눈을 생각해 보렴. 눈송이 하나는 아무런 피해를 주지 않지만, 수십억 개가 모이면 집은 물론 한 마을 전체를 파괴할 정도로 엄청난 눈사태가 되잖아. 무엇이든 모이고 모이면 큰 힘이 되는 법이란다. 스웨터에서 생기는 작은 정전기도, 집에서 사용하는 전기도 사람에게 해가 될 수 있잖니. 그런데 그보다도 수천만 배는 더 강한 번개가 얼마나 위험할지 상상해 보렴. 그래도 조금만 조심하면 번개의 위험을 최소한으로 줄일 수 있으니 천만다행이지."

드디어 우리 차례가 되었어요. 보안 검색대를 지나서, 이런저런 쇼핑몰을 잠시 둘러봤어요. 그다지 끌리는 물건은 없더군요. 그래서 우리는 그냥 눈에 보이는 의자에 앉기로 했죠.

"안 좋은 소식이 있는데 너에게 제대로 알려 줘야 할 것 같구나. 아무래도 태풍이 바다 쪽으로 가고 있는 것 같아."

"그럼 어떻게 되는데요?"

"우리가 이륙해서 비행을 시작하면 그 태풍과 마주칠 수 있지."

"위험한가요?"

"위험할 것 같지는 않구나. 비행기는 레이저로 태풍을 볼 수 있어서 그다지 어렵지 않게 피해갈 수 있단다. 물론 태풍 한가운데를 지나는 건 간단한 산책이라고 볼 수는 없지. 뇌운 속에서는 공기가 엄청나게 빠른 속도로 오르락내리락해서 비행기가 춤추는 것처럼 움직일 테니까. 무섭니?"

"할아버지가 무서워할 필요 없다고 하시면 전 안 무서워요. 할아버지를 믿거든요. 그리고 전 무서워하는 게 싫어요."

"그럴 줄 알았다. 하지만 신중한 것과 무서워하는 것은 굉장히 다른 거야. 예를 들어 내가 번개가 매우 위험할 수 있다고 말했잖니? 그렇다고 해서 번개를 무서워해야 한다는 건 아니란다. 그냥 주의해야 할 점들을 지키면서 조심하면 되지."

"예를 들면요?"

"예를 들면…… 천둥 번개가 칠 때 나무 아래에 있으면 안 된단다. 왜냐하면 나무는 벼락 맞기 쉽거든. 구름과 땅 사이에 전류가 흐르는 현상을 벼락(낙뢰)이라고 한단다. 벼락이 무섭다고 나무 밑에 들어가 있는 건 부적

위험할 뿐 아니라 바보 같은 행동이란다."

"그밖에도 조심해야 할 행동들이 더 있나요?"

"그럼, 아주 많지. 네 공책에 적어 줄 테니 잘 갖고 있으렴. 나중에 아주 유용할 거다."

나는 사랑하는 손녀의 공책에 '벼락이 칠 때 지켜야 할 안전 규칙'을 정리해 주었어요.

<벼락이 칠 때 지켜야 할 안전 규칙>

- 되도록 콘크리트 건물 안에 들어가 있어야 해요.
- 콘센트에 꽂혀 있는 플러그를 모두 뽑고, 문이나 창문, 난방기기, 금속 파이프, 개수대, 전선 등에서 멀리 떨어져 있어요.
- 밖에서 휴대전화를 사용하지 말아요.
- 낚싯대와 같은 금속 물체나 끝부분이 뾰족한 우산을 들고 있으면 안 돼요. 벼락을 끌어들일 수 있어요.
- 자동차 안이 가장 안전해요. 벼락이 자동차에 떨어지면 전류가 차 표면을 따라 땅으로 흐르거든요. 하지만 차 안에 있을 때 차체를 만지지 말고, 금속 부분은 건드리면 안 돼요.
- 주변에 건물이나 대피소가 없는 경우 도랑이나 동굴, 혹은 주변 지역보다 낮은 곳이 안전해요. 홀로 우뚝 솟은 나무는 벼락이 떨어지기 쉬우므로 위험해요. 나무에서 멀리 떨어져 있는 것이 좋아요.
- 머리카락이나 팔의 털이 곤두서는 것을 느끼면 벼락이 떨어질 위험

에 처한 거예요. 즉시 바닥에 눕거나, 쪼그려 앉아 무릎을 끌어안고 양 팔 사이에 머리를 집어넣어요. 그러면 전류가 심장을 통하지 않고 땅으로 흐르기 때문에 심장 마비를 피할 수 있어요.

"할아버지, 안내 방송에서 우리 비행기를 말했어요!"

"그렇구나. 이제 비행기 타러 가자꾸나! 빼놓은 것 없는지 한 번 더 확인하고."

"없으니까 걱정 마세요! 전 신중한 성격이라는 거 아시잖아요?"

"그래, 알지. 사실 잘 잊어버리는 건 나지. 항상 이것 아니면 저것을 잊어버려. 한번은 집에 컴퓨터를 두고 와서 아무 죄 없는 내 친구 토니가 공항까지 급하게 갖다 주느라 고생했단다. 이번에는 둘 다 짐을 잘 챙긴 것 같으니, 출발하자꾸나. 어서 오렴."

번개와 천둥은 어떻게 만들어지는 건가요?

구름 속에서 물방울들과 작은 얼음 알갱이들이 서로 부딪치고 마찰하면서 정전기를 만들어 내요. 그러면서 구름 아랫부분에는 음(-) 전하가, 구름 윗부분에는 양(+) 전하가 모이는데, 서로 다른 전하가 부딪치면서 빛을 내요. 이것이 '번개'예요. 양(+) 전하가 땅으로 이끌어지면서 번개가 땅을 향하기도 하는데, 이것을 '벼락'이라고 하죠.

번개가 칠 때 매우 높은 온도로 공기가 가열되면서, 공기의 부피가 엄청나게 늘어나요. 마치 폭발하는 것처럼요. 폭죽이나 폭탄처럼 공기의 부피가 순식간에 폭발하듯 커지니까 큰 소리가 나게 돼요. 이것이 '천둥'이랍니다.

비행기를 타고 구름 속으로

구름이 만들어지는 과정

우리는 비행기에 타서 자리에 앉았어요. 아르테미시아는 창가 쪽에 앉았어요. 비행 중에 꺼낼 수도 있는 물건들을 따로 챙긴 손가방도 한쪽에 잘 놔뒀어요. 비행기 안에는 사람이 많아서 머리 위 선반에서 물건을 꺼내는 게 너무 번거로울 것 같았거든요.

창밖의 하늘은 여전히 어둡지만 비는 오지 않네요. 번개도 보이지 않고, 천둥소리도 들리지 않아요.

"할아버지, 하늘이 정말 캄캄해요. 아직 낮인데도 한밤중인 것 같아요. 왜 구름은 어떨 때는 하얗고 어떨 때는 시커먼 거죠?"

"그건 구름이 얼마나 두꺼운지, 혹은 얼마나 짙은지에 따라 다르단다. 구름이 엷으면 햇빛이 쉽게 통과해서 환하게 보이지. 하지만 지금처럼 구름이 햇빛이 통과할 수 없는 상태면 어두울 수밖에 없지. 이해가 되니?"

"말하자면 창문에 걸린 커튼이 얇은지 두꺼운지에 따라 방으로 비쳐 들어오는 빛의 밝기가 달라지는 것과 똑같은 거군요?"

"그렇지!"

그사이 비행기가 천천히 하늘로 올라가기 시작했어요. 얼마 지나지 않아 비행기는 구름 속으로 들어갔고, 창밖으로 아무것도 보이지 않았어요.

"할아버지, 이제 구름 속으로 들어왔네요."

"그렇구나, 아침에도 말했지만 구름 속에 들어오면 아주 짙은 안개 속에 들어와 있는 것 같지."

"그러니까 이 짙은 회색 구름이 모두 물방울로 만들어졌다는 거잖아요?

그런데 언뜻 보기에는 '연기' 같아요."

"연기도 사실은 아주 작지만 알갱이로 이루어져 있단다. 우습게 들리겠지만 사실 구름도 '물의 연기'라고 부를 수 있단다. 하지만 연기와 다른 점이 있어. 구름은 물, 그러니까 기체가 아니라 액체인 물로 이루어져 있다는 거지. 그런데 구름이 수증기로 이루어졌다고 생각하는 사람들이 많단다. 수증기라는 말을 들어 봤니?"

"네, 들어는 봤는데 정확히 어떤 건지는 모르겠어요. 수증기도 물 아닌가요?"

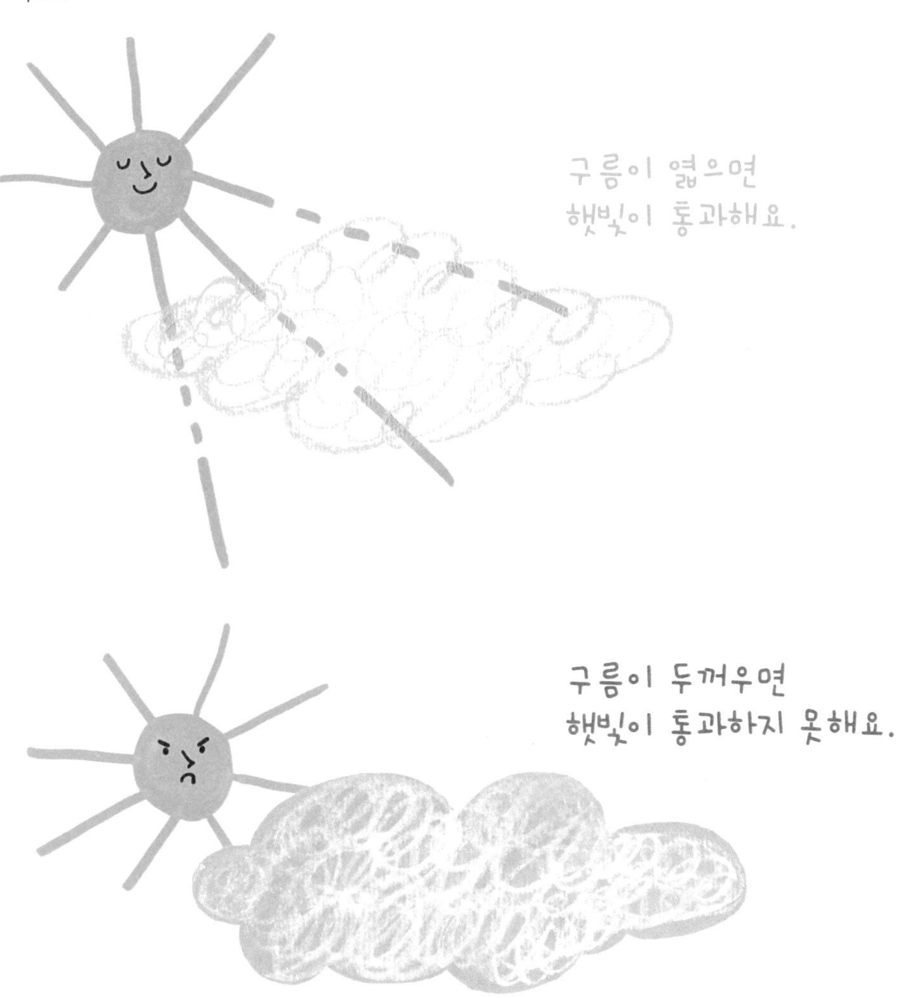

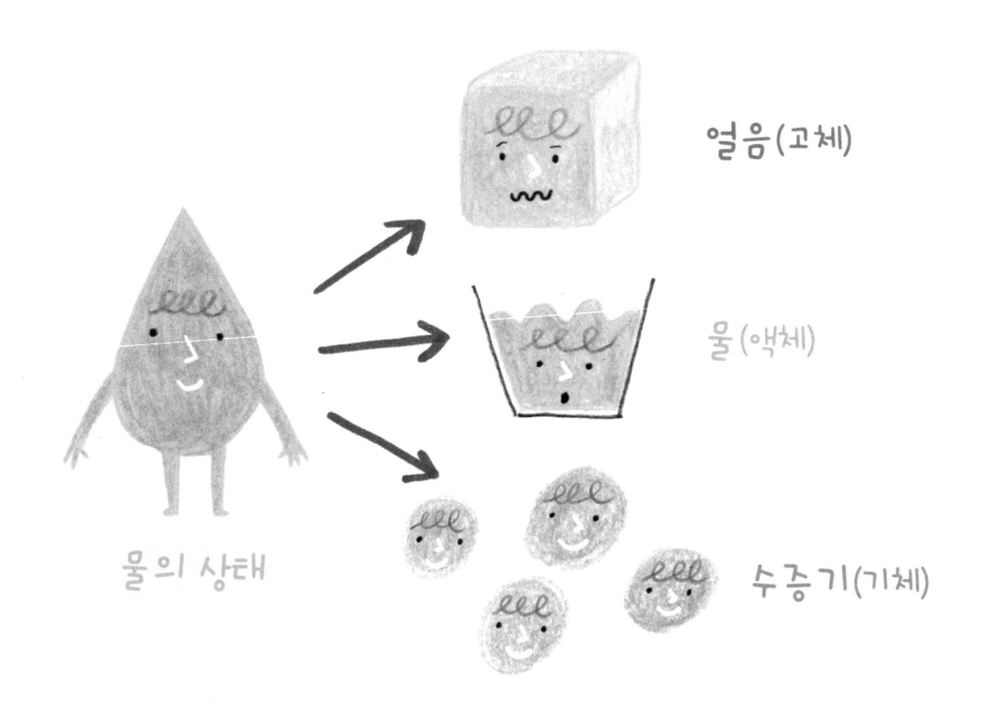

"그렇다고 볼 수 있지. 물은 온도에 따라 세 가지 상태로 변한단다. 그중 하나가 수증기지."

"세 가지 상태요?"

"우선 고체 상태, 바로 얼음이란다."

"아하, 얼음! 이제 생각났어요."

"얼음은 물이 단단해진 상태란다. 물은 액체 상태를 말하고, 수증기는 기체 상태지."

"공책에 적어야 할 것이 정말 많네요. 다 적으면 책이 되겠어요!"

"너라고 못 할 것 없잖니? 어린이를 위한 날씨와 기후 책을 쓰는 것도 좋을 것 같구나!"

"정말요? 하지만 지금은 책 쓰는 것은 둘째 치고 할아버지 이야기를 따라가는 것만으로도 벅찬걸요."

"차근차근하면 되지. 그럼 다시 하던 이야기를 계속해 볼까? 아까 구름이 수증기로 이루어져 있다고 생각하는 사람들이 많다고 했지?"

"그런데 할아버지가 말씀하셨잖아요. 구름은 물로 이루어져 있다고요."

"그렇지! 그렇다면 우선 수증기에 대해 짚고 넘어가자꾸나. 수증기의 예를 들어 볼 수 있겠니?"

"예를 들어 보라고요? 잠깐 생각 좀 해 볼게요. 음…… 혹시 아침에 날씨가 추울 때 숨을 내쉬면 입에서 입김이 나잖아요. 입김은 수증기가 아닌가요?"

"사실 입김은 수증기가 아니라 안개나 구름과 비슷하단다. 아주 작은 물방울로 이루어진 것인데, 금방 사라지지."

"어떻게 사라지는데요? 어디로 사라져요?"

"수증기가 된단다."

"세상에! 잠깐만요. 그럼 수증기가 눈에 안 보이는 거란 말씀이세요?"

"그렇지."

"그렇다면 눈에 보이지도 않는데 저에게 수증기의 예를 들라고 하신 거예요?"

"미안하구나. 사실 내가 너를 시험해 보려고 그런 질문을 한 거란다. 이제 너도 알겠지만, 사람들이 입김을 기체 상태의 수증기라고 생각하는데, 사실은 액체 상태의 물이란다."

"그럼 수증기가 어디 있는지 어떻게 알아요? 눈에 보이지도 않는데요."

“수증기가 어디에 있다고 말하는 건 전혀 어렵지 않단다. 왜냐하면 수증기는 항상 공기 속에 있거든. 문제는 얼마나 있는지를 아는 것이지.”

“수증기의 양을 어떻게 알 수 있나요?”

“수증기의 양을 정확하게 측정하려면 ‘습도계’를 사용하면 된단다. 하지만 공기 속에 수증기가 많으면 우리가 직접 느낄 수도 있지. 이걸 먼저 설명해 줘야겠구나. 공기 속에 수증기가 아주 많을 때 ‘습하다’고 하고, 수증기가 아주 조금밖에 없을 때는 ‘건조하다’고 말한단다.”

“습하고 건조하다는 말은 우리가 흔히 쓰는 말인데요?”

“그렇지! 그럼 여기서 잠깐 정리를 해 보자꾸나. 아까 물은 고체와 액체, 기체, 이렇게 세 가지 상태를 취한다고 이야기했지? 그런데 물이 한 상태에서 다른 상태로 변할 때가 있단다. 그중에 너도 아는 게 있을 거야.”

“네, 액체인 물이 냉동고에 들어가면 고체인 얼음이 되는 건 저도 알아요.”

“그것을 우리는 보통 냉동이라고 부르는데, 정확한 표현은 ‘응고’란다.”

“그리고 고체인 얼음을 냉동고에서 꺼내면 녹아서 다시 액체인 물이 되죠.”

“그래, 그것을 ‘융해’라고 한단다.”

“그리고요?”

“그리고 액체 상태의 물이 기체인 수증기가 되는 과정이 있지. 이것은 ‘증발’이라고 한단다. 마지막으로 기체 상태에서 액체 상태가 되는 과정이 있는데, 이것은 ‘응결’이라고 하지.”

“하나도 빠짐없이 공책에 적어 놔야겠어요.”

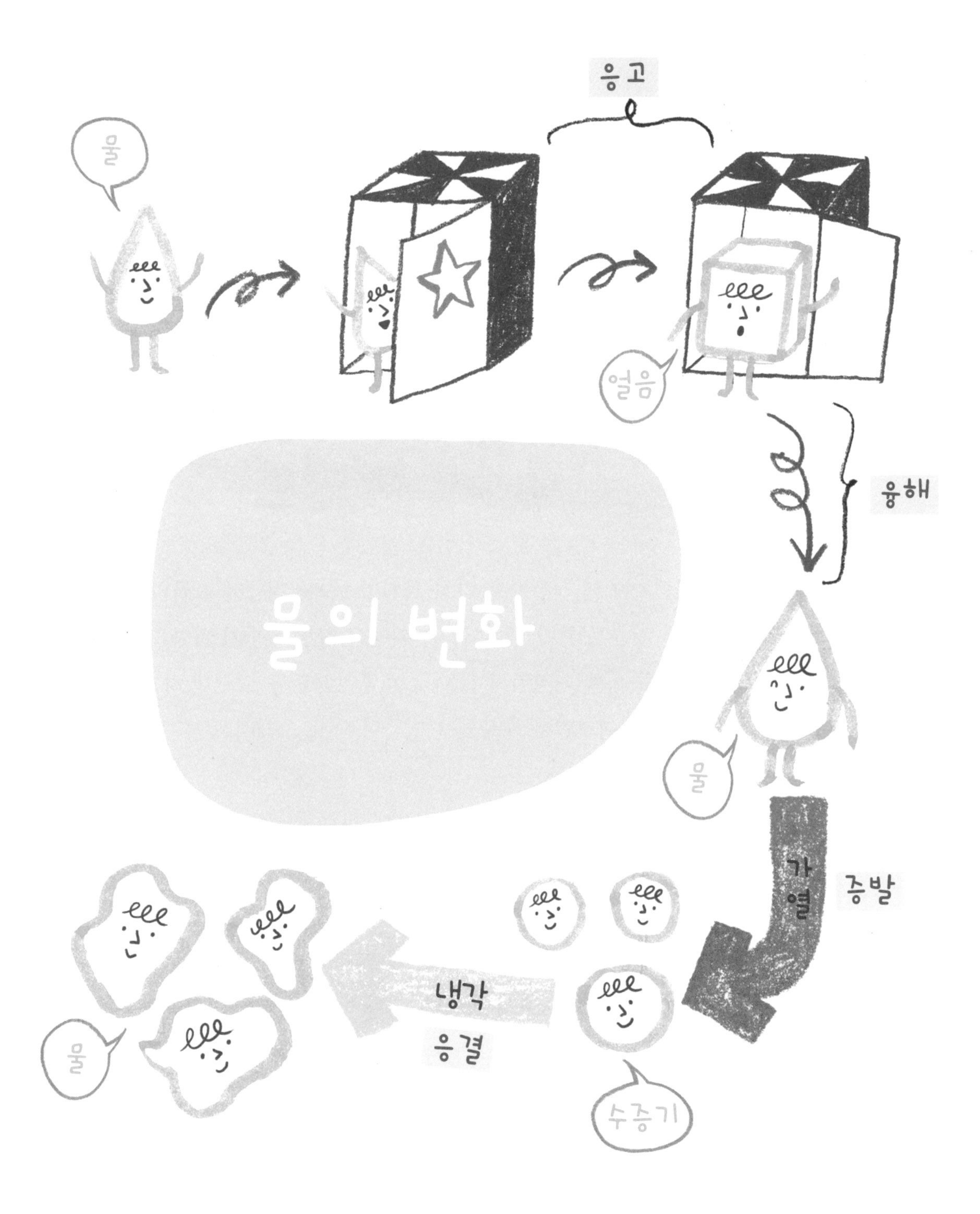
물의 변화
물
응고
얼음
융해
물
가열
증발
수증기
냉각
응결
물

“물론이지. 그럼 여기서 구름으로 다시 돌아가 볼까? 지금까지 물의 세 가지 상태를 배운 것은 구름이 만들어지는 과정을 설명해 주기 위한 거란다. 기체인 수증기는 아주 가벼워서 하늘 높이 올라간단다. 그런데 하늘로 올라갈수록 기온이 떨어지면서, 수증기는 냉각이 되지. 그래서…….”

“수증기가 ‘응결’이 되는 군요!”

“그렇지. 수증기가 응결되면서 작은 물방울이 되고, 그 물방울들이 모여서 이루어진 것이 구름이란다!”

“우아, 구름이 어떻게 만들어지는 것인지 잘 알겠어요!”

“잘 이해했다니 다행이다. 이제 구름을 보면 다르게 보이겠구나. 수증기가 아니라 물이라는 것을 알았으니 말이다. 네가 만약에 점점 커지는 구름을 보게 된다면, 그것은 액체 상태의 아주 작은 물방울로 응결되고 있는 수증기가 있다는 뜻이야. 반대로 점점 작아지거나 사라져 가는 구름을 보게 된다면, 물방울들이 증발, 즉 수증기 상태가 되고 있다는 거지."

"그렇군요. 그런데요, 할아버지. 아까 말했던 입김은 어떻게 만들어지는 거죠?"

"호흡할 때 내뿜는 수증기가 차가운 공기가 있는 곳으로 나오면 응결된단다. 그렇게 응결된 작은 물방울이 입김인 거지."

"말하자면 입김은 작은 구름 같은 건가요?"

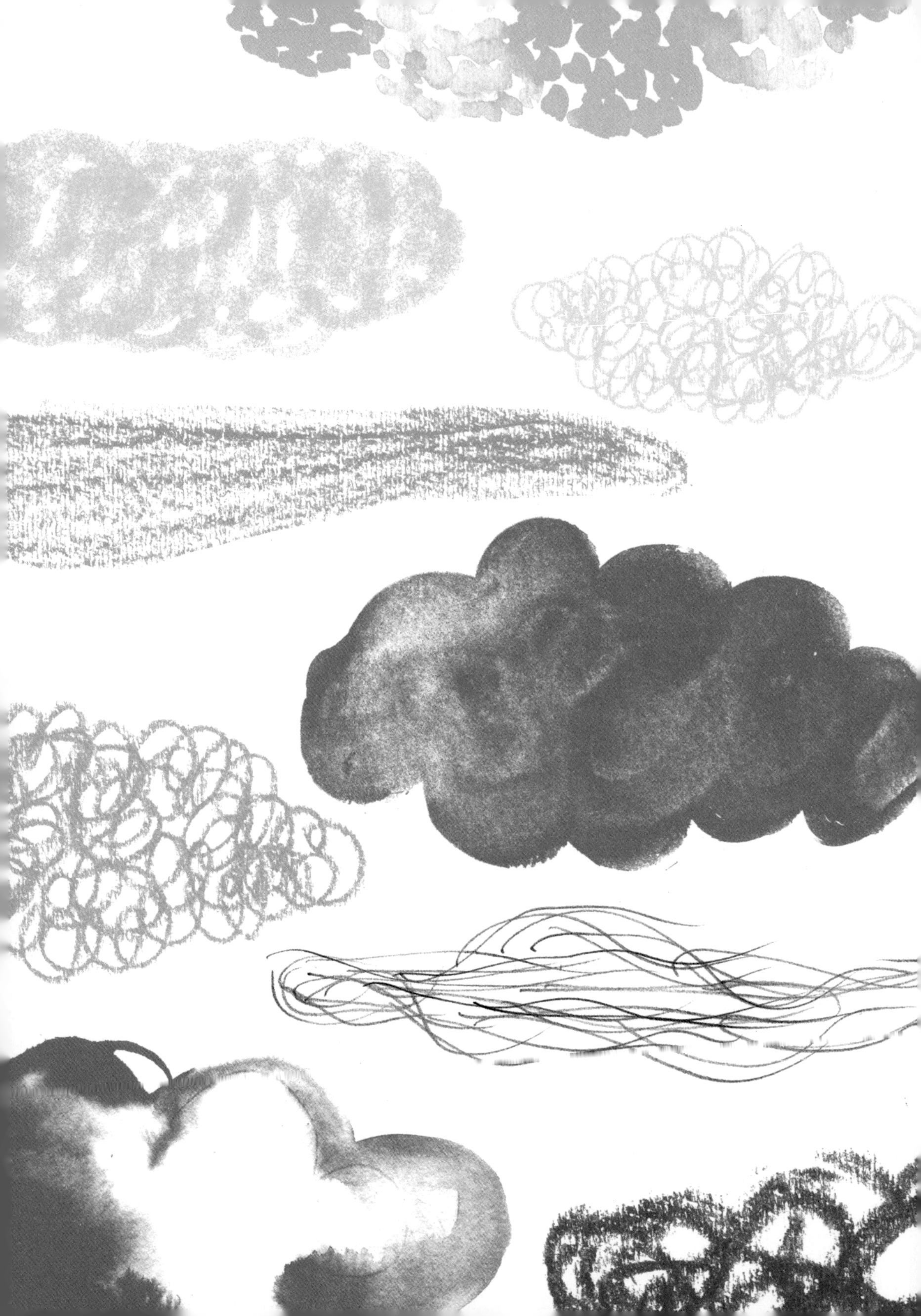

“그래! 어느 면에서 보나 구름과 똑같지! 입김은 구름과 똑같은 과정을 거쳐 사람이 만드는 ‘잠깐 구름’이지. 금방 사라지니까 말이야.”

“입에서 구름이 만들어진다고 생각하니까 신기해요. 그런데 제가 보기에는 구름이 다 똑같지 않은 것 같아요. 큰 구름, 작은 구름, 밝은 구름, 어두운 구름……. 그런데 만들어지는 방법은 다 똑같나요?”

“모든 구름이 수증기의 응결로 만들어지는 거라고 생각한다면 맞다, 잘 이해한 거야. 그런데 신비로운 응결 현상은 다양한 환경에서 일어날 수 있다는 것도 염두에 두렴.”

“그럴 줄 알았어요. 구름의 모양은 정말 다양하잖아요.”

“낮은 하늘에서 만들어지는 구름도 있고, 높은 하늘에서 만들어지는 구름도 있지. 이건 구름이 어디에서, 그러니까 어느 정도의 높이에서 응결이 이루어지느냐에 따라 달라지는 거야. 하지만 이건 구름의 ‘모양’에는 영향을 끼치지 않아. 구름의 모양은 다양한 ‘상황’에 따라 달라지지.”

“다양한 상황이라고요?”

“잘 들어 보렴. 공기가 온화할 때나 특별한 움직임 없이 천천히 상승할

때 응결 현상이 일어나면 '층운(안개구름)'이라는 형태의 구름이 만들어진단다. 구름이 지표면과 나란하게 층을 이뤄 매끄럽게 펼쳐져 있어서 그렇게 부르지. 반면 공기가 빠른 속도로 상승하면 '적운(뭉게구름)'이 만들어지는데, 큼직한 돌이나 바위가 한가득 쌓여 있는 모습과 비슷하단다. 이러한 구름들은 고도, 즉 하늘의 높이와 상관없이 여기저기에 형성된단다. 그러니까 층운형 구름이 떠 있는 곳은 대기가 온화하고, 적운형 구름이 떠 있는 곳은 대기가 불안정하다는 걸 알 수 있지."

아르테미시아에게 구름에 대해 설명하는 동안 비행기는 구름에 구멍을

내며 빠져나왔어요. 이제는 구름을 위에서 내려다보게 되었네요. 구름은 회색으로 얼룩덜룩하기는 했지만, 하얗고 밝게 빛나 보였어요.

비는 어떻게 내리는 건가요?

가만히 창밖으로 구름을 내다보던 아르테미시아가 뭔가가 떠올랐다는 듯이 나를 바라보았어요.

"할아버지! 오늘 아침에 구름을 이루고 있는 물방울들은 샤워기에서 나오는 물이나 하늘에서 내리는 빗물처럼 크고 무겁지 않아서 떨어지지 않는다고 하셨잖아요. 그렇다면……."

"이번에는 비가 어떻게 만들어지는지 알고 싶은 거구나?"

"맞아요. 비는 우리가 쉽게 볼 수 있는 거라서 그냥 당연한 자연현상인 줄 알았거든요. 그런데 구름이 어떻게 만들어지는지 알고 나니까 궁금한 것들이 더 많아졌어요."

"당연한 일이지. 그렇게 무언가를 배울 때마다 넌 한 계단씩 올라가는 거란다. 하지만 그 계단은 무척 길단다. 평생 올라가도 끝나지 않을 계단이지."

"그러게요, 궁금한 게 계속 생기니 말이에요. 그런데 할아버지는 무척 멋진 일인 것처럼 말씀하시네요."

"물론이지. 배움은 정말 멋진 일이란다. 배워야 할 것이 사라지게 되면 그것만큼 쓸쓸한 일도 없을 것 같구나. 배우고 싶은 마음이 사라지는 것도

마찬가지고."

"할아버지, 할아버지! 이제 비 이야기를 해 주시겠어요?"

"아까 내가 뭔가를 봤는데 우리가 지금 나누는 대화와 아주 관련이 깊은 거란다."

"여기 비행기 안에서요?"

"정확히 말하면 비행기 안은 아니고……."

"뭔가 신비로운 건가 봐요. 할아버지가 수수께끼처럼 말씀하시면 가슴이 두근두근해요. 굉장히 매력적이에요!"

"매력적이라는 표현이 듣기 좋구나. 그게 바로 비가 어떻게 만들어지는지 보여 주는 좋은 예였단다."

"지금은 안 보이나요?"

"그래, 지금은 우리가 구름 밖으로 나와서 보이지 않는단다. 비는 구름 안에서 만들어지니까, 비가 만들어지는 것과 관련된 것을 보고 싶다면 구름 속에서 찾아야겠지."

"그러게요. 할아버지 말씀이 맞네요."

"그럼 지금 당장 비에 대한 설명을 듣지 않아도 괜찮으면 조금 기다려 보자꾸나. 리스본에 도착할 무렵에 다시 한 번 구름을 지나갈 테니까."

"리스본에 구름이 있을지는 어떻게 아세요?"

"내 생각에는 비가 올지 안 올지를 예상하는 건 절대 마법이 아니란다. 우리가 출발할 날씨가 정해지고 나서 비행이 제대로 될지 궁금해서 내가 오늘과 내일 아침까지의 날씨를 예상해 봤단다. 로마와 리스본, 그리고 기니비사우의 수도인 비사우 방향 항로의 날씨를 말이다. 그건 그렇고 비에 대해서 지금 설명할까, 아니면 나중에 할까?"

"궁금하긴 하지만, 할아버지가 결정해 주세요."

"좋아, 그럼 이렇게 하자. 아무래도 네가 직접 보면서 설명을 들어야 이해하는 데 도움이 될 테니, 이따가 이야기하자꾸나."

비행기는 석양을 향해 날았어요. 우리가 향하는 곳은 서쪽이거든요. 아르테미시아는 책을 펼쳐 들었어요. 두 시간 정도 시간이 흐르는 사이 나는 졸음이 밀려와 꾸벅꾸벅 졸았어요.

비행기가 부지런히 저무는 태양을 좇았지만, 결국 태양이 이겼어요. 태양이 수평선 너머로 넘어가서 보이지 않네요. 이제 창밖은 어둠으로 가득 찼어요. 비행기 날개 끝에 달린 '표지등'이 가끔 반짝일 뿐이죠. 혹시 알고 있나요? 비행기의 오른쪽 날개에는 초록색, 왼쪽 날개에는 붉은색의 표지등이 달려 있답니다. 비행기가 어느 방향으로 날고 있는지 알려 주는 것이지요. 수 세기 전부터 배에서 사용하던 표지등을 아직도 사용하는 것을 보면 더 나은 기술을 찾지 못한 모양이에요. 이유는 모르겠지만 나는 이 표지등을 보면 기분이 좋아지더군요.

"할아버지, 이제 일어나셨어요?"

"응? 내가 오래 잤니?"

"아뇨, 그렇게 오래 주무시지는 않았어요. 아까 깨우고 싶었는데 굳이 그럴 필요가 없겠다는 생각이 들더라고요."

"왜 필요가 없어?"

"밖이 어두워서 구름 속을 다시 지나간다고 해도 아무것도 안 보일 것 같아서요. 그럼 할아버지를 깨워도 소용없잖아요?"

"그렇긴 하지."

잠시 후 비행기 모터의 회전이 약해지는 소리가 들렸고 곧이어 안내 방송에서 리스본으로 하강하기 시작했다고 알려 주더군요.

"이제 구름이 나타나기를 기다리자꾸나."

몇 분 후 우리는 드디어 구름 속으로 들어갔어요. 내 예상이 맞아서 정말 다행이었죠.

"어디를 봐야 하죠, 할아버지?"

"어디 보자, 일단 우리가 뭘 찾는지부터 설명해 줘야겠구나. 구름 속에 있는 공기는 항상 흔들리고 있어서, 구름을 이루고 있는 물방울들이 떨어지지 않고 이리저리 충돌하며 돌아다닌단다. 방에서 전등을 올려다보면 먼지가 공중을 날아다니는 게 보이지? 구름 속의 물방울도 그런 먼지처럼 떠돌아다닌다고 할 수 있단다. 그런데 물방울의 경우 자기들끼리 서로 충돌하다가 합쳐질 수도 있어. 그렇게 되면 조금 더 큰 물방울이 되지."

"그럼 아래로 떨어지는군요!"

"꼭 그런 것은 아니고 구름 속 공기의 흔들림이 약해져야만 떨어진단다. 그렇지 않으면 물방울은 계속 구름 속을 떠돌아다니지."

"그러면서 또 다른 물방울들과 부딪치나요?"

"그렇지. 다른 물방울들과 부딪치면서 계속 커지고, 크기가 커졌으니 또 다른 물방울들과 충돌하기가 더 쉬워지지. 그렇게 점점 더 큰 물방울이 된

비가 내리는 과정

1

구름을 이루고 있는 물방울들.

2

구름 속 공기의 움직임에 따라
물방울들이 서로 부딪치다가
합쳐져요.

3

그래서 큰 물방울들이 돼요.

4

물방울들이 서로
합쳐지면서 더 커지고
더 무거워져서 떨어지기
시작해요. 그게 바로 비예요!

단다."

"그럼 언제 떨어져요?"

"구름 속의 공기가 물방울을 붙잡고 있을 수 없을 만큼 크고 무거워지면 떨어지지."

"그렇군요."

"그런데 빗방울이 이런 식으로만 만들어지는 건 아니란다. 그저 이것이 비가 내리게 되는 기본 원리라는 점을 기억해 두렴. 아르테미시아, 창문을 좀 보겠니?"

"어? 물이 묻었네요."

"오늘 아침에 차를 타고 구름 속을 빠져나왔을 때 기억하니? 그때 자동차가 어땠지?"

"차가 젖었었죠. 그게 왜요?"

"지금은 구름 속의 물방울들이 비행기에 부딪혔다가 비행기의 속도가 빨라서 비행기 몸체를 따라 흐르다가, 다른 물방울들과 합쳐져 굵은 물방울이 됐단다. 창문에 흘러내리는 물방울들 보이지?"

"그러네요! 이 물방울들은 지상으로 떨어질까요?"

"지금 크기가 꽤 크니까 비행기에서 떨어지면 그렇게 되겠지. 물방울이 이렇게 잘 보이기가 쉽지 않은데 우리는 운이 좋구나. 구름의 밀도가 낮으면 낮을수록 물방울이 덜 생기거든."

"멋지네요! 그럼 비행기가 비를 만든 거잖아요!"

"뭐 비행기가 구름 속을 지나면서 비를 만든 거라고 할 수 있지. 창문뿐 아니라 비행기의 날개와 꼬리에도 이런 물방울들을 볼 수 있단다."

"그렇게 복잡한 것 같지는 않네요. 어느 정도 크기가 되는 물방울이 만들어져야 비가 내리는 거였어요."

"그렇지, 바로 그거란다."

"그럼 언젠가는 모든 구름에서 비가 내리겠네요?"

"아니란다. 모든 구름이 비를 뿌리지는 않아. 아주 높은 곳에 떠 있는 구름은 서로 잘 합쳐지지 않는 얼음 알갱이로만 이루어져 있단다. 그리고 밀도가 낮은 구름은 물방울과 물방울 사이의 거리가 멀어서 서로 잘 충돌하지 않지. 또, 온화한 구름의 경우에도 공기의 흔들림이 별로 없어서 물방울끼리의 충돌이 적은 편이고. 이런 구름들의 경우는 비를 내리기 어렵거나, 아예 불가능하단다."

"그럼, 비를 뿌릴 수 있는 구름은 어떻게 알 수 있나요?"

"지금 당장이나 앞으로 언젠가는 비를 내릴 구름 말이지? 대체적으로 알 수 있단다. 구름도 여러 종류, 여러 '계통'이 있단다. 내가 이야기한 적운형 구름과 층운형 구름, 기억하지? 적운형 구름은 강한 비를 내릴 수 있고, 층운형 구름은 보통 약한 비를 내린단다. 구름을 잘 살펴보면 확실히 비를 내릴 구름인지, 가능성이 있는 구름인지, 혹은 비를 뿌리기 매우 힘든 구름인지 예상할 수 있어."

"가능성이라고요? 그럼 확실히 알 수는 없는 거군요?"

"그래, 사실 확실히 알 수는 없어. 날씨에 관한 것들 모두 장담하기는 힘들단다."

"이상해요. 할아버지는 기상학자고 일기 예보를 하시는데, 날씨를 확실히 모른다고 하시다니요. 제가 생각했던 일기 예보는 상당히, 상당

히…….”

“과학적인 줄 알았다고?”

“네, 맞아요. 제 마음을 정확히 읽으셨네요.”

“어느 정도는 그렇지. ‘기상학은 정확성은 떨어지지만 가장 예술적인 형태의 과학’이라고 하는 말을 들은 적이 있단다. 날씨와 일기 예보에 대한 연구를 어떻게 바라봐야 하는지 잘 설명해 주는 말이지. 기상학은 ‘과학’을 기반으로 하고 요즘은 매우 성능이 좋은 컴퓨터를 이용하지만, 거기에 예술적인 작업, 바로 ‘인간의 연구’가 반드시 더해져야 하는 학문이란다.”

“인간의 연구라니, 멋있네요!”

“그래, 네가 말한 것처럼 과학적이지 않아 보이거나 조금 불확실한 부분도 있다는 건 나도 안다. 사실 일기 예보라는 것이 가능성을 보여 주는 것이지 확실한 지식을 전달하는 건 아니란다.”

“무슨 말씀이세요?”

“사람들이 많이 사용하는 예를 한 가지 들어 주마. 내가 공책에서 뜯은 이 종이 보이지?”

“네, 그런데 이게 왜요?”

“잠깐 기다려 보렴. 내가 이 종이를 1미터 정도의 높이에서 떨어뜨리면?”

“바닥으로 떨어지죠!”

“그래, 그렇겠지. 하지만 이런 종이가 많다면 어떨까? 여기서 직접 해 보지 않아도 한 장씩, 한 장씩 열 장 정도 떨어뜨린다고 생각해 보렴. 어디로 떨어질 것 같니?”

"다 바닥으로 떨어지겠죠! 아니, 장난이에요, 할아버지. 모두 어느 정도는 서로 가까운 자리로 떨어질 것 같은데요."

"그래, 종이들이 똑같은 자리로 떨어져서 차곡차곡 가지런히 쌓이지는 않을 거야. 그렇지?"

"네, 그럴 것 같지는 않아요."

"어떤 종이는 근처에 떨어지고 어떤 종이는 조금 멀리 떨어질 수는 있겠지. 하지만 아주 먼 곳에 떨어지지는 않을 거야. 그렇지?"

"네, 제 생각에도 그럴 것 같아요."

"자, 그럼 컴퓨터는 내가 떨어뜨린 종이가 어디에 떨어질지 정확하게 알 수 있을까?"

"알 수 있지 않을까요? 컴퓨터잖아요."

"컴퓨터가 굉장하기는 하지. 우주에 있는 위성을 움직이기도 하고, 아주 복잡한 계산과 정밀한 작업도 할 수 있으니까. 하지만 이 세상에서 가장 강력한 슈퍼컴퓨터도 이 종이가 어디로 떨어질지는 정확하게 계산할 수 없단다."

"정말이에요?"

"그렇단다. 우리가 아무리 이런저런 필요한 정보를 다 입력해도 컴퓨터는 그저 이 종이가 우리 발치에서부터 10센티미터에서 50센티미터 범위 안으로 떨어질 가능성만 알려 줄 거야. 네가 보기에는 컴퓨터의 예상이 정확하지도, 과학적이지도 않겠지? 날씨도 마찬가지란다. 내일 리스본에 비가 올 거라는 예보가 있어도 정확히 아홉 시에 올 건지, 열 시에 올 건지, 정확히 이 지역에만 올 건지 다른 지역에도 올 건지는 알 수 없단다."

"이제 알겠어요, 할아버지."

"그렇게 일기 예보는 완벽하게 정확할 수는 없단다."

"기상학은 알면 알수록 수수께끼 같네요."

눈과 우박은 어떻게 다른가요?

"아까 비 이야기를 하실 때 생각난 게 있어요. 할아버지가 얼음 알갱이가 서로 잘 안 뭉쳐진다고 하셨잖아요. 그 말을 들으니 우박이 갑자기 떠오르더라고요."

"눈도 생각나겠지. 그러고 보니 넌 기니비사우에서는 눈을 거의 못 봤을 것 같구나."

"거의요? 한 번도 못 봤어요! 거기가 얼마나 더운데요."

"그렇지. 하지만 우박은 더운 지역에도 내릴 수 있단다."

"그래요? 이상하네요. 우박은 얼음 아닌가요?"

"이상해 보이겠지만 정말이란다. 얼음에는 여러 종류가 있지. 눈과 우박

의 다른 점은 바로 얼음의 종류에 있단다. 그래서 더운 나라에서 눈은 내리지 않아도 우박은 내릴 수 있지. 지금부터 설명해 주마. 눈은 아주 작은 얼음 알갱이로 이루어져 있단다. 한 얼음 알갱이가 다른 얼음 알갱이와 몸통 전체가 아닌 끝부분만 서로 연결돼서 자수를 놓은 듯 아름다운 모양을 만들어 가지. 혹시 옷 장식으로 쓰이는 레이스를 자세히 본 적 있니? 레이스를 보면 실이 채워진 부분보다 구멍이 더 많잖니. 그래도 매우 아름다울 뿐 아니라 모양이 잘 변하지 않고 무엇보다 아주 가볍지. 이런 얼음의 종류를 '얼음 결정'이라고 한단다. 눈꽃이라고도 불리는 눈 결정은 가벼워서 바닥으로 천천히 떨어진단다."

"우아, 눈꽃이라는 이름이 참 예쁘네요."

"그렇지. 그리고 또 다른 얼음의 종류로 '얼음 비결정'이 있단다. 일정한

형태가 없다는 뜻이지. 이건 우리가 흔히 알고 있는 냉동고에서 얼린 일반적인 얼음 조각이란다. 이 얼음 비결정은 작은 얼음 알갱이들이 서로 엉겨 붙어 있어서 아주 단단하고 무겁지. 우박이 바로 이런 얼음이란다."

"결정과 비결정……. 말이 어렵네요."

"이렇게 한번 상상해 보겠니? 네가 어떤 레이스의 실을 다 풀어 아주 단단하게 감아 보는 거야. 그러면 어떻겠니? 레이스일 때보다 훨씬 더 작지만 훨씬 더 단단하고 밀도가 높은 공 모양이 될 거야."

"아, 눈싸움할 때 만드는 눈 뭉치처럼 말인가요?"

"바로 그거야! 물론 우박 알갱이는 눈 뭉치보다 속이 더 꽉 차고 단단하단다."

"그런데 어떨 때 눈이 되고, 어떨 때 우박이 되는 건가요?"

"이 두 종류의 얼음은 서로 다른 조건에서 탄생한단다. 우선 눈이 만들어지려면 공기의 움직임이 적고 온도는 0도 이하인 구름이 필요해. 그래야 얼음 알갱이끼리 평화롭게 결정을 만들면서 커질 수 있거든. 눈이 만들어지는 과정은 상당히 느리고 섬세하단다. 여기서 알아 둬야 할 점은 눈은 먼저 만들어진 얼음 알갱이에 다른 얼음 알갱이들이 합쳐진다는 거야. 그런 다음 지상으로 떨어질 때는 빗방울과 똑같은 과정을 거친단다. 구름 속 공기가 붙잡을 수 없을 정도로 눈송이가 무거워지면 아래로 떨어지지. 그런데 한 가지 중요한 조건이 갖춰져야 하는데, 일단 차가운 공기가 아주 많이 필요하단다. 하지만 기니비사우도 그렇고, 유럽의 여름철에는 찬 공기가 별로 없어서 눈을 찾아보기 힘들지. 눈은 일단 한 번 내리기 시작하면 일부 지역에서만 내리는 게 아니라 최소한 몇 개 지역에 걸쳐 내리는 경우가 많단다."

"그럼 우박은요?"

"우박은 눈처럼 얼음 알갱이들이 합쳐지는 게 아니라 얼어붙은 물로 만들어진단다. 그래서 냉동고에서 얼린 얼음과 비슷한 거지. 뇌운을 생각해 보렴. 번개와 천둥이 치는 동안 구름 속 공기와 물방울들이 세탁기를 작동시켰을 때처럼 위아래로 오르락내리락하면서 서로 이리저리 충돌한단다. 한마디로 야단법석인 거지! 이 구름 속에는 분명히 물이 얼음이 되는 0도 이하인 높이가 있을 거야. 구름의 아래쪽에서 격렬하게 움직이고 있는 물방울 하나를 따라가 볼까? 물방울이 구름의 위쪽으로 올라가 온도가 0도 이하인 부분으로 들어가면 순식간에 얼어붙어 아주 작은 얼음 알갱이가 된단다. 이 얼음 알갱이가 다시 구름 아래쪽으로 내려와 물방울만 있는 부

분으로 들어가면 물방울에 부딪혀 적셔지고, 그 상태로 다시 위로 올라가면 겉에 묻은 물까지 같이 얼어서 한 겹 더 씌워지게 돼. 그렇게 얼음 알갱이의 크기가 조금씩 커진단다. 정리하자면, 구름의 차가운 부분으로 올라갔다가 덜 차가운 부분으로 내려오기를 반복하면서 얼음막이 점점 더 추가돼 큰 얼음 덩어리가 되는 거지."

"그러니까 우박은 여러 겹 겹쳐진 파이 같이 만들어지는 거군요?"

"양파 같다고도 할 수 있지. 양파도 얇은 막이 층층이 겹쳐 있잖니. 그런데 알아 둬야 할 점이 있단다. 뇌운 속의 모든 물방울이 위아래로 움직이지는 않는단다. 만약 그 많은 물방울이 다 우박이 된다면, 우리는 우박 세례를 받아 끔찍한 재난을 겪게 될 거야. 실제로 우박은 그렇게 크지 않아도 심각한 피해를 주거든. 구름 속 공기가 강하면 강할수록 우박 알갱이는 더 오랫동안 구름 속에서 버티게 되고 크기도 계속 커진단다. 하지만 이 구름 속 공기가 그다지 강하지 않으면 얼음 알갱이 크기가 작아도 지상으로 떨어질 수 있어. 이럴 경우에는 아무래도 큰 우박이 떨어질 때보다는 덜 위험하지."

"우박은 무서운 거군요. 그런데요, 할아버지. 아까 우박은 더운 지역에도 내릴 수 있다고 하셨잖아요. 왜 그런가요?"

"지금 막 말하려던 참이었단다. 우박이 여름철이나 따뜻한 나라에서도 내릴 수 있는 이유를 설명해 주마. 어느 정도 강한 태풍만 있으면 기온이 높은 아프리카에도 우박이 내릴 수 있단다. 땅의 온도가 높은 것은 별로 중요하지 않지. 뇌운은 높이 떠 있어서 기온이 영하인 고도로 어렵지 않게 이동할 수 있거든. 영하의 온도는 우박이 만들어지는 데 반드시 필요한 조

우박이 되는 빗방울 이야기

1 뇌운 속에서 이리저리 이동을 해요.

2 이동 중에 온도가 영하인 윗부분으로 올라가요. 거기서 얼어붙어 얼음 알갱이가 되죠. 바로 우박이에요.

3 이번에는 물방울과 충돌하면서 얼음 알갱이에 물이 젖어요.

4 다시 온도가 영하인 윗부분으로 올라가면
표면에 젖은 물이 얼어요.
그렇게 위아래로 오르락내리락하면서 조금씩 얼음막이
더해지고 점점 커져요.

5 그러다가 너무 무거워지면 빗방울처럼
구름 아래로 떨어지죠.

우박이
내려요!

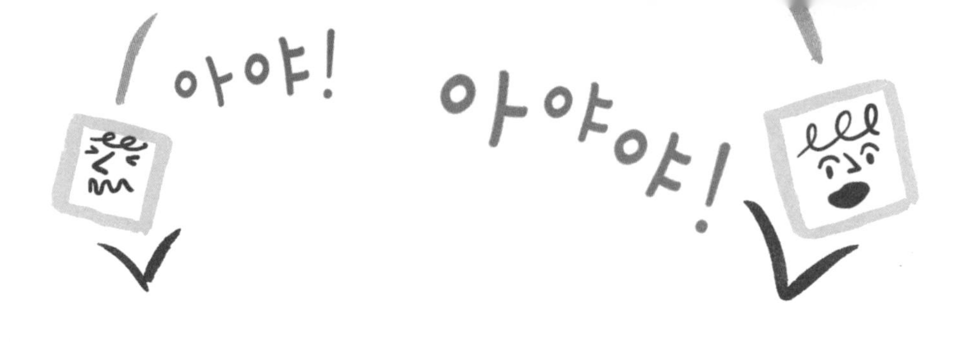

건이란다. 아까 말한 것처럼 눈은 보통 넓게 퍼져서, 그러니까 넓은 범위의 지역에 내리지만, 우박은 영하의 기온이라는 조건이 갖추어져야 하기 때문에 범위가 훨씬 좁지. 뇌운 하나의 지름이 몇 킬로미터밖에 되지 않아서 우박은 주로 한 번에 몇 백 미터 정도의 지역에만 내린단다. 앞으로도 그런 일이 없어야겠지만, 지금까지는 우박이 수 킬로미터 정도의 여러 지역에 동시에 내린 적은 한 번도 없었어. 하지만 구름을 따라 우박이 이동을 할 수는 있단다. 처음에는 한 지역에서 쏟아지던 우박이 갑자기 멈추고 그 옆 지역에서 쏟아지고, 또 구름이 지나가는 길을 따라 그 옆 지역에 쏟아지고, 그런 식으로 말이다."

"흥미진진한 이야기네요!"

"아직 끝나지 않았단다. 네게 이슬과 서리 이야기도 해 주고 싶거든. 그런데 그 이야기는 다음에 해야겠구나. 이제 거의 다 도착한 것 같으니 말이다."

우리 비행기는 어느새 리스본 상공에 떠 있었어요. 비행기는 낮게 비행하더니 활주로에 들어섰어요. 비사우로 가려면 리스본을 반드시 거쳐야 하죠. 그래서 이제까지 열 번도 넘게 와 봐서 리스본 공항의 풍경은 아주 익숙했어요. 출구에서 간단히 수속을 마치고 택시로 10분 정도 달려서 호텔에 도착했어요.

그런데 비가 오지 않는군요. 리스본은 비가 올 거라고 손녀에게 말해 뒀

는데 말이죠. 다행히 아르테미시아는 아무 말도 없네요. 내가 종이를 빗대어 일기 예보가 완벽하게 정확할 수 없다고 한 말을 이해한 걸까요? 그나저나 참 굉장한 하루였어요! 아직 반밖에 못 왔는데 말이죠. 내일 비사우로 가는 비행기가 오후나 돼야 출발하기 때문에 오전은 내내 여유로울 것 같아요. 아무래도 대서양과 맞닿아 있는 눈부신 연안 도시를 조금 돌아다녀야겠네요.

구름을 만드는 응결핵은 무엇인가요?

수증기가 응결되면서 작은 물방울이 되고, 그 물방울이 모여 구름을 이루어요. 이때 수증기를 끌어당겨 물방울들이 서로 뭉치도록 도와주는 아주 작은 알갱이를 '응결핵'이라고 해요. 이러한 응결핵을 이용해 인공적으로 비를 내리게 할 수 있어요. 이러한 '인공 강우'는 구름에 응결핵 역할을 하는 아이오딘화은과 드라이아이스를 뿌리면 주변의 물방울들을 끌어들여서 물방울이 점점 커지게 되고, 비가 오게 되는 것이지요.

공기가 깨끗하면 수증기가 잘 응결되지 않지만, 대도시처럼 공기가 오염된 곳에서는 먼지나 매연이 응결핵이 되어 안개가 잘 껴요. 이런 안개에는 오염 물질이 섞여 뿌옇기 때문에 연기(smoke)와 안개(fog)라는 두 가지 단어를 합쳐 '스모그(smog)'라고 불러요.

공기 속의 먼지와 수증기가 짝을 이뤄 안개를 만들어요.

비가 오는 도시에서

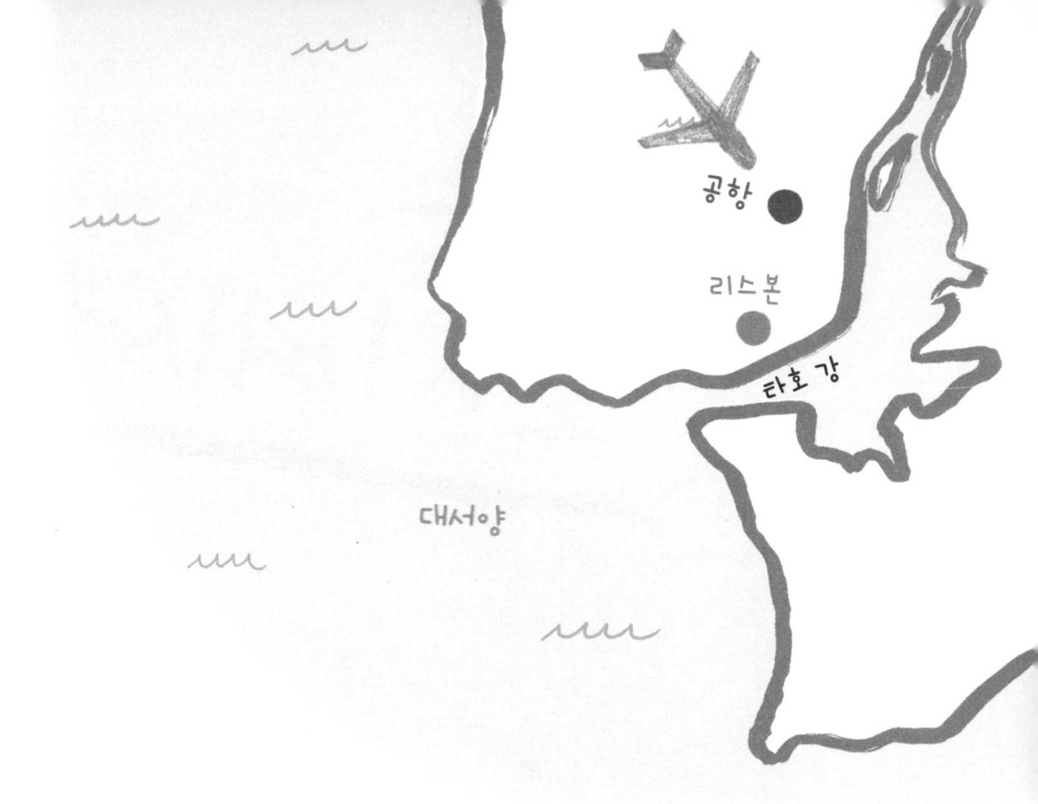

돌고 도는 물

어제 저녁 우리는 여행자다운 식사를 했어요. 패스트푸드를 제쳐 두고 '파스테이스 데 바칼라우'(감자, 염장 대구, 계란, 파슬리로 만든 크로켓) 같은 리스본 토속 음식을 먹는 게 정말 즐겁더군요.

지금은 아침이고, 호텔방 창문으로 보이는 리스본의 풍경을 즐기려고 하는데…… 아무것도 보이지 않는군요! 구름도 낮고 안개가 끼었거든요. 무엇보다 비가 오고 있어요! 그렇게 많이 오는 것은 아니지만 어쨌든 비가 와요. 기상학자를 40년 넘게 했는데도 예상했던 날씨가 맞아떨어지면 기분이 참 좋아요. 무엇보다 손녀에게 리스본은 비가 올 거라고 말했는데, 그 말이 맞아서 얼마나 다행인지 몰라요.

아르테미시아는 날씨가 덥든 비가 오든 아무 불평 없이 그대로 받아들이고 준비를 해요. 벌써 모자 달린 우비와 비닐 장화, 배낭을 준비했네요.

"준비됐어요, 할아버지. 우리 어디 갈 거예요?"

"먼저 맛있는 아침 식사부터 하고 시내나 항구 쪽으로 가 보자꾸나. 괜찮지?"

"그럼요. 전 리스본이 좋아요. 할아버지도 좋아하시잖아요. 그런데 할아버지는 왜 이곳을 좋아하세요?"

"글쎄다, 여기는 공기가 조금 특별한 것 같아. 비행기에서 내리면 이곳만의 습한 냄새가 곧바로 느껴지지. 어쩌면 그냥 느낌일 수 있지만 도착하는 순간부터 이미 바다가 있다는 걸 알 것 같기도 하고 말이야."

나는 햇빛도 가리고 비도 막아 주는 '아프리카 모자'를 챙겼어요. 원래 아프리카에서만 쓰는 거라서 아프리카 모자라고 부르는 것이지요.

아침 식사는 포르투갈 전통 음식은 아니었지만 만족스러웠어요. 사실 포르투갈 음식은 생선 요리가 많은데 이른 아침부터 그런 걸 먹기에는 조금 부담스러워서 가볍게 먹었어요. 그러고 나서 우리는 지하철을 타고 시내로 나왔죠.

"아르테미시아, 오늘 계획은 일단 알파마 시가지가 멋있다니까 전차를 타고 가

보자. 그러고 나서 시간이 남으면 뭐 다른 일을 해 보자꾸나."

"깜짝 놀랄 만한 일이라도 있나요? 좋아요! 가요, 할아버지."

우리는 전차를 타고 좁은 골목길을 지나 알파마로 갔어요. 알파마는 리스본에서 가장 오래되고 전통적인 멋이 살아 있는 지역이랍니다. 전차에서 내려 산타루지아 교회까지는 걸어갔어요. 교회로 들어가 전망대에 올라 시내를 바라봤지요. 저 멀리 타호 강이 흐르고 있어서 가슴이 탁 트이는 풍경을 감상할 수 있었죠.

빗줄기가 점점 세져서 강 건너편과 시내를 연결하는 다리를 보기는 조금 힘드네요. 하지만 비 오는 타호 강은 나름대로 멋졌어요. 아르테미시아도 풍경에 흠뻑 빠진 듯 보이네요.

"비가 참 많이 오네요, 그렇죠? 전 비 오는 게 싫지 않아요. 게다가 하나도 춥지 않고요."

"다행이구나."

"참, 비에 관해 여쭤 볼 것이 있어요. 비가 오면 모든 빗물이 다 바다로 가는 거죠?"

"일부는 땅속에 흡수되고 나머지는 바다로 가지. 강물을 타고 바다로 흘러간단다."

"그런데 그 많은 물이 다 흘러 들어가는데, 왜 바다는 욕조처럼 채워지지 않는 거죠? 게다가 비가 많이 올 때는 정말 엄청나게 많이 오잖아요. 비가 어디로 가는지는 알겠는데, 어디서 오는 건가요? 할아버지가 설명해 주셔서 이제는 비가 구름에서 내린다는 것도 알고, 어떻게 만들어지는지도 알아요. 그런데 구름에 있는 물은 없어지지 않나요? 언젠가는 구름을 이루는 물이 다 떨어지지 않을까요?"

"좋은 질문이구나! 구름이 마르기도 하지만 대부분은 계속 새로운 물이 만들어진단다."

"새로운 물이 만들어진다고요? 물이 계속 생긴다는 말씀이세요?"

"그렇단다. 한번 생각해 보렴."

"잠깐만요. 할아버지가 일부러 그러시는 건지 모르겠지만, 저한테 뭔가를 설명해 주실 때마다 전에 배웠던 것을 기억해 내도록 하세요. 뭔가를 기억해 내야만 새로운 것을 이해할 수 있도록 말이에요."

"그게 정상이란다. 날씨와 관련된 모든 현상은 다른 현상과 연결되어 있단다. 그래서 공부한 내용을 다시 정리해 보면 새로운 것을 이해하는 데 훨씬 도움이 되지. 그럼 한번 배운 것들을 연결해 볼까? 비는 구름을 이루고 있는 작은 물방울들이 합쳐지기 때문에 만들어지는 거야. 또, 이 물방울들은 수증기의 응결을 통해 만들어지고. 기억나지? 응결은 수증기라는 기체가 물이라는 액체가 되는 과정이고."

"네, 모두 기억이 나요."

"그럼 이제 그 수증기는 어디서 오는 건지 알아내야겠지? 이 수증기는 응결이 돼서 구름이 되는데, 한 번만 구름이 되는 게 아니라 비를 뿌리면서 물을 잃는 구름에게 계속 새로운 물을 공급해 주지."

"제가 놓치고 있던 게 바로 그 부분이에요. 그게 이해가 안 됐어요."

"그 답은 여기에 있단다. 바로 네 눈앞에 있지."

"여기요? 하지만 지금 여기 있는 건 비와 도시, 강물……."

"그 강물이 어디로 가지?"

"바다로 가죠. 지금 이 강물의 경우 대서양으로 가고요. 이 물이 모두 바다로 가면 바다에서 물이 다시 '출발'한다는 건가요?"

"이제 알겠니? 모든 것이 바다로 가고, 또 모든 것이 바다에서 출발하지. 이게 바로 '물의 순환'이란다."

"물의 순환! 학교에서 들어는 봤는데 정말 아무것도 모르겠더라고요. 그런데 이제는 조금 알 것 같네요."

"정리하자면, 물이 바다에서 출발해서 수증기가 되고 그다음에는……."

"증발!"

"맞아, 증발. 그다음에는 응결 과정을 거쳐 구름이 되고, 그 구름은 비를 만들고, 그 비는 아래로 떨어져 바다로 돌아가지. 이게 바로 물의 순환이란다. 이게 아까 네가 한 질문에 대한 답도 되겠구나."

"왜 바다가 욕조처럼 가득 차지 않느냐는 질문이요?"

"그래. 엄청난 양의 물이 바다로 들어가고 엄청난 양이 증발해서 빠져나가기 때문에 바닷물이 넘치지 않는 거야. 그런데 잘 생각해 보면 물의 순환 중에서 아직 조금 더 알아야 할 부분이 있단다."

"어떤 거요?"

"네가 직접 생각해 보렴. 일단 항구 쪽으로 걸어가 보자꾸나."

항구까지 가는 길은 그리 멀지 않은 데다가 내리막길이었어요. 아르테미시아는 주위를 둘러보며 걸었지만 생각에 잠겨 있는 것 같았죠.

비는 그치지 않고 계속 내렸어요. 아무래도 이 비는 아르테미시아가 생각을 하는 데 도움이 됐을 것 같네요.

잠시 후 우리는 부두 근처에 도착했고, 궂은 날씨이기는 하지만 타호 강 하구를 한 바퀴 돌 수 있는 보트가 있는지 알아봤어요. 비행기가 출발하려

물의 순환

비나 눈이 와요!

땅속으로 스며들어 지하수가 돼요!

땅속 토양

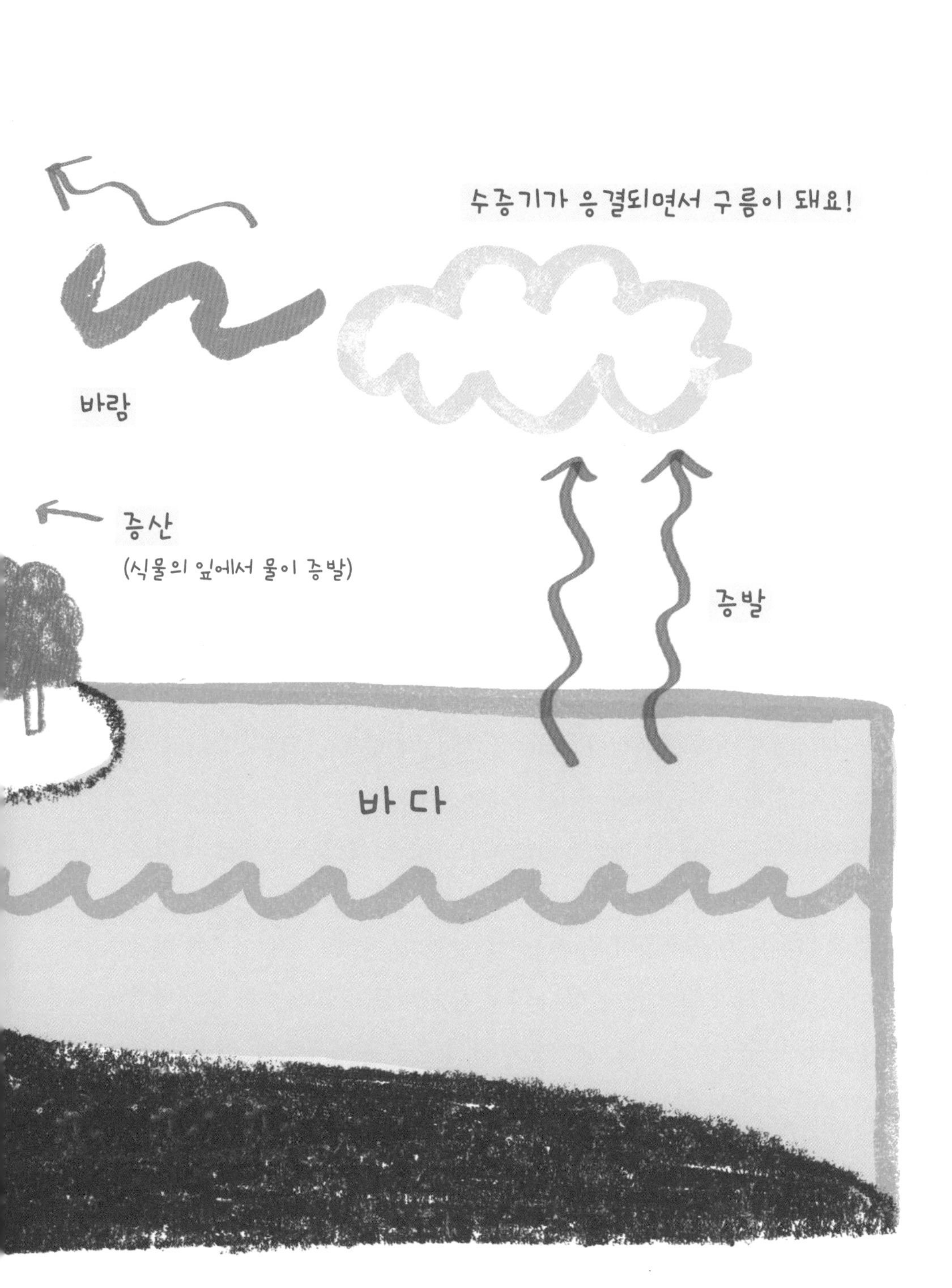
수증기가 응결되면서 구름이 돼요!
바람
증산
(식물의 잎에서 물이 증발)
증발
바다

면 아직 시간이 많이 남았거든요.

"할아버지, 우리 어디 갈 건가요?"

"보트를 타고 강을 한 바퀴 돌아보자꾸나."

"좋아요!"

우리는 막 출발하려고 하는 보트를 타고 선실 밖에 자리를 잡았어요. 비가 그렇게 많이 오지는 않아서 밖에 있어도 괜찮았어요.

"할아버지, 아까 우리가 알아야 할 부분이 있다고 하셨잖아요."

"말해 보렴."

"어제 비행기에서 그러셨잖아요. 구름이 자라고 있다는 건 그 안에 응결되는 수증기가 있는 거라고요."

"그랬지."

"수증기가 바다에서 온다는 건 확실히 알겠어요."

"그래."

"그럼 누가 수증기를 하늘로 끌고 가서 구름을 만들게 하는 건가요? 그리고 바다에서 어떻게 증발이 되나요? 아니, 왜 증발이 되는 거예요? 제 질문이 너무 바보 같은가요?"

"전혀 바보 같지 않아! 세상에 바보 같은 질문은 없단다. 모르는 게 있으면 물어보는 게 당연하지! 제일 간단한 것부터 시작해 보자. 어디든 물이 있으면 반드시 증발 현상이 일어난단다. 증발되는 물의 양에 차이가 있을 뿐이지. 예를 하나 들어 주마. 물이 가득 찬 냄비를 떠올려 보렴. 냄비에서 약간의 물이 수증기가 되고, 그 수증기 중 일부는 물이 된단다. 일종의 '교환'이 이루어지는 거시. 반약 이 냄비를 방 안에 놓아두고 몇 개월이 지나

면 물이 다 증발될 거야. 하지만 냄비를 불 위에 올려놓고 끓이면 30분쯤 후에 물이 완전히 사라질 거다."

"맞아요. 전에 할머니가 가스 불을 켜 놓고 깜빡 잊으셔서 냄비에 있던 물이 몽땅 날아가고 냄비 바닥을 태운 적이 있어요!"

"상상이 되는구나. 왜 그렇게 됐는지 아니? 물을 가열하면서 자연 상태에서 이루어지던 교환 작용을 변화시켰기 때문이란다. 열을 가하면, 그것도 가스 불처럼 높은 열을 가하면 수증기에서 물이 되는 과정을 거치는 물의 양보다 수증기가 되는 물의 양이 훨씬 더 많아지거든. 조금 복잡하지?"

"아니에요, 그렇게 복잡하지 않아요. 제가 제대로 이해한 건지 들어 봐 주세요. 물이 사라질 때마다 수증기가 되는데, 주변 환경이 뜨거우면 더 빨리 수증기가 된다는 거죠. 빨래를 건조할 때 햇빛이 있으면 가열이 돼서 더 빨리 마르잖아요. 제가 적당한 예를 든 건가요?"

"적당하다마다. 멋진 예였단다. 왜냐하면 빨래에서 또 다른 것을 알 수 있거든."

"뭔데요?"

"빨래는 어떨 때 빨리 마를까? 햇빛도 있어야 하지만 '이게' 있으면 더 빨리 마르지."

"글쎄요, 케레는 항상 햇빛이 있지만 바람도 자주 불어요. 바람까지 불면 빨래가 빨리 마르더라고요. 혹시 바람 말씀하시는 거예요?"

"그렇단다. 공기의 이동에 햇빛의 열기까지 더해져서 물이 훨씬 더 빨리 증발되지. 햇빛과 바람을 잘 기억해 두는 게 좋을 것 같구나."

"그러니까 햇빛과 바람이 엄청난 양의 바닷물을 증발시키는 거군요."

"바로 그거야."

"그래서 바다는 가득 채워지지도, 완전히 비워지지도 않고요."

"그렇지."

그사이 보트는 신기하고 아름다운 풍경이 펼쳐진 곳으로 우리를 데려갔어요. 강에서 리스본을 바라볼 수 있는 위치에 와 있었거든요!

잠시 후에는 다리 밑을 지나갔어요. 이 다리를 밑에서 보니 산타루지아 교회의 전망대에서 봤을 때보다 훨씬 더 멋있었어요. 정확한 이유는 모르겠지만 나는 그 어떤 위대한 건축물보다 다리가 매력적이더군요. 고층 빌딩과 다리 중에서 어떤 것이 더 좋으냐고 묻는다면 나는 주저 없이 다리를 선택할 거예요. 어쩌면 인간이 집을 짓기 전에 다리를 먼저 짓기 시작했기 때문인지도 모르겠어요.

"할아버지, 이렇게 강을 보고 있으니까 물이 바다로 향하는 속도가 빠른 것 같다는 생각이 들었어요. 제가 보기에는 빗물이 강이 되어 한꺼번에 많은 양이 바다로 흘러 들어가는데, 그에 비해 증발은 아주 천천히 진행되는 것 같아요."

"네 말이 맞다. 하지만 모든 빗물이 같은 자리에서 증발되는 것은 아니란다. 간단히 말하면, 여기서 내리는 빗방울들은 바다 건너편에서 온 수증기로 만들어진 것일 수도 있단다."

"맙소사, 긴 여행을 하고 온 거군요!"

"그 긴 여행을 수없이 했을지도 모르지."

"그러게요. 순환을 하니까요! 지금 제 손바닥 위에 있는 빗방울은 증발하고 응결하고 증발했다가 응결

1492
1512
1630
1810
1904
1970
1989
2000
1995
2007
2003
현재

하는 과정을 몇 번이나 거쳤을까요?"

"물은 언제나 똑같은 물이란다. 겉으로 보기에는 사라진 것 같지만, 사실은 형태가 변하고 여기에서 저기로 이동한 것일 뿐 정말 사라진 건 아니야. 네 손에 있는 물방울도 다음 순환 과정을 거쳐 어느 흙에 떨어지게 되면, 땅속 깊숙이 스며들어 지하수가 되겠지. 그렇게 고여 있다가 어느 날 어느 샘을 통해 밖으로 나오면 누군가에게 다시 사용될 거야. 이런 물방울의 여행이 완전히 한 번 끝나는 데 거의 수백 년이 걸린단다."

"수백 년이나요?"

"그래, 그 정도 걸릴 수 있어. 아니면 여기서 멀지 않은 곳에서 증발돼서 저 바다 위에 멋진 구름이 될 수도 있지. 그리고 내가 먼 훗날 리스본을 다시 들렀을 때 내 손바닥 위로 떨어질지도 몰라."

"멋진 여행이네요! 안녕, 물방울아. 그럼 이 물방울과 제가 처음 만난 게 아닐 수도 있겠군요?"

"그건 확실히 대답해 줄 수가 없구나. 그럴 가능성은 아주 낮지만……. 그래, 그 물방울이 네가 어릴 때 네 몸을 적셨을 수 있지. 아니면 할아버지가 어렸을 때 그 물방울이 섞인 물에서 수영을 했을 수도 있고. 혹시 또 모르지. 탐험가 콜럼버스나 로마의 황제 율리우스의 몸을 스쳤던 물방울일 수도 있지 않을까."

"이 물방울이 말을 할 줄 안다면 직접 물어보고 싶네요."

"그렇구나. 아마도 수없이 많은 여행담을 쏟아 내겠지!"

이슬은 물, 서리는 얼음

"그런데요, 할아버지, 어제 이슬 이야기를 꺼내셨잖아요. 이슬이 빗물과 똑같은 건가요? 제 눈에는 둘이 똑같아 보이거든요."

"아니, 이슬은 빗물과 다르단다. 이슬도 물방울이기는 하지만 하늘에서 떨어진 게 아니잖니. 빗물과 똑같은 모양이지만, 만들어지는 과정이 다르단다. 빗물이 어떻게 만들어지는지에 대해서는 아주 잘 알고 있지? 이슬은 잎이나 자동차 지붕, 혹은 보트 덮개처럼 표면이 '차가운' 곳에 생기는데, 이런 표면과 접촉한 공기가 차가워지면서 수증기가 응결돼 아주 작은 물방울이 되는 거란다."

"그렇군요."

"아름다운 빗방울 하나가 만들어지려면 구름 속에서 움직이는 공기처럼 물방울을 움직이는 게 있어야 하잖니. 하지만 이슬은 바람이 불면 만들어지지 않는단다."

"왜 그렇죠?"

"응결이 일어날 때까지 차가워지려면 공기가 차가운 표면과 닿아 있는 상태로 어느 정도 머물러 있어야 하기 때문이란다. 그런데 바람이 공기를 계속 휩쓸어 가 버리면 필요한 만큼 차가워질 수가 없지."

"정말 신기하네요. 아, 그럼 아주 추울 때는 이슬이 서리가 되나요?"

"너무 쉽게 생각하는구나. 서리는 처음 만들어질 때부터 '서리', 즉 얼음이란다."

"하지만 할아버지가 말씀해 주신 그 '과정' 말이에요, 수증기에서 물이 되고, 물에서 얼음이 된다고 하셨잖아요."

"그래. 하지만 특별한 조건에서는 그 과정을 '건너뛰고' 수증기가 곧바로 얼음이 되기도 한단다. 서리가 바로 그런 경우지. 이렇게 기체에서 고체로 변화하는 과정을 '승화'라고 하는데, 조금 이상해 보이겠지만 고체에서 기체가 되는 반대 과정도 똑같이 '승화'라고 부른단다."

"승화라고요?"

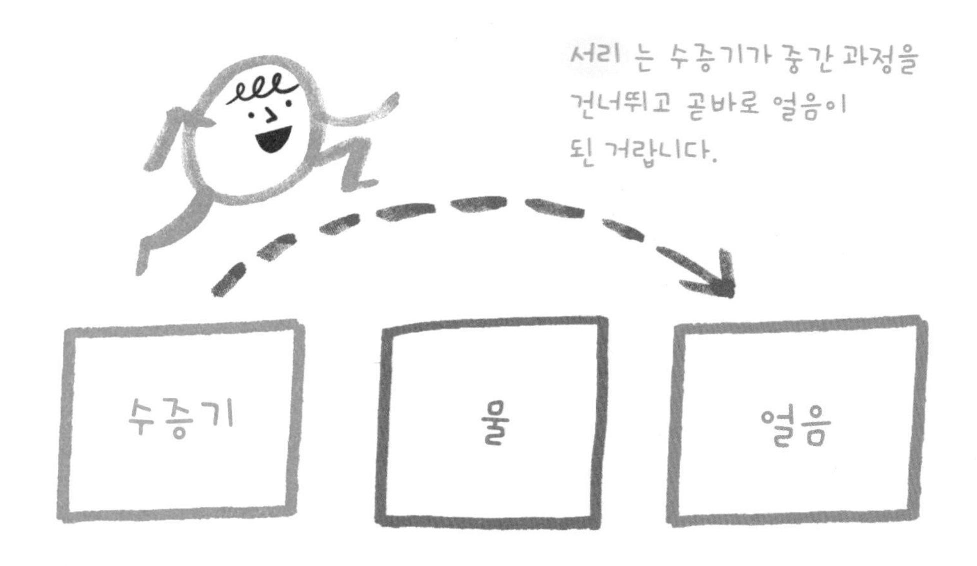

“잠깐만, 아무래도 승화라는 과정이 너를 조금 당황하게 만든 것 같구나. 그렇다면 예를 들어 주마. 혹시 ‘드라이아이스’라는 것 본 적 있니? 이산화탄소로 만들어진 얼음인데, 물의 형태를 거치지 않고 곧바로 기체가 된단다. 보통 냉동식품을 보관할 때나 무대 위에서 안개 효과를 낼 때 쓰인단다. 옷장 속에 넣어 두는 ‘나프탈렌’을 예로 들 수도 있겠구나. 나프탈렌은 작은 공 모양으로 별로 좋지 않은 냄새를 풍기는데, 시간이 지나면서 점점 작아지다가 어느 날 흔적도 없이 사라지지. 이것도 고체에서 곧바로 기체가 된 거란다!”

“그렇군요! 이젠 알 것 같아요. 아, 저기 보세요, 선착장에 거의 다 도착했어요.”

우리가 보트 여행을 마치고 내리는 사이 구름 사이로 희미하게 햇살이 비추기 시작하더군요. 우리는 호텔로 돌아와 각자의 손가방을 챙겼어요. 큰 가방은 어제 곧바로 비사우행 비행기에 실렸지요. 아마 무사히 비사우까지 운반될 거예요. 가끔 엉뚱한 비행기에 짐이 실리는 경우도 있지만 일주일 정도 기다리면 되찾을 수 있지요. 우리의 가방이나 빗방울이 말을 할 줄 안다면, 정말 할 말이 많을 거예요.

지구에는 물이 얼마나 있나요?

우주에서 지구를 보면 푸른색으로 보여요. 왜 그럴까요? 바로 지구 표면을 덮고 있는 '물' 때문이에요. 물은 지구에서 고체, 액체, 기체의 다양한 상태로 존재해요. 액체 상태인 물은 바다와 강, 지하수로 흐르기도 하고, 생물의 몸속에서 생물이 살아갈 수 있도록 해 줘요. 극지방의 빙하나 얼음, 눈 등은 물의 고체 상태이고, 수증기는 물의 기체 상태지요.

이처럼 지구에는 물이 어디든 존재하고 있지만, 막상 우리가 쓸 수 있는 물은 아주 적어요. 지구의 물 가운데 97퍼센트가 바닷물이고, 3퍼센트가 땅에 있는 물이에요. 그중에서도 2퍼센트는 빙하고, 우리가 쓸 수 있는 물은 하천, 호수, 지하수 등 고작 1퍼센트밖에 되지 않아요. 그러니까 우리는 물을 소중하게 생각하고, 물을 아껴 써야 해요.

날씨 따라 남쪽으로

기압과 날씨의 관계

우리는 다시 비행기에 탔어요. 유럽에서 기니비사우로 가는 항공편은 항상 사람이 많은데 이번에는 어쩐 일인지 한산하네요.

"제시간에 출발할까요, 할아버지?"

"그럴 것 같구나. 비행기의 문은 벌써 닫혔어. 저녁 식사 시간이면 비사우에 도착할 거야."

"네 시간이나 가야 하네요. 너무 오래 걸려요."

"아인슈타인이 이렇게 말했단다. '예쁜 소녀와 함께 있는 한 시간은 1분처럼 느껴지지만, 뜨거운 난로 위에 앉아 있는 1분은 한 시간보다 더 길게 느껴진다'고 말이야. 짧은 시간은 아니지만 나는 혼자가 아니니까 시간이 금방 갈 것 같구나."

"할아버지, 우리 함께 시간이 빨리 흐르게 할 방법을 찾아봐요."

"뭘 하면 좋을까?"

"이야기를 하면 어떨까요? 구름 이야기도 마무리가 되지 않았잖아요. 제가 아직 알아야 할 것이 남았다고도 하셨고요."

"그 이야기를 해 줄 테니 보채지 마렴. 구름이 만들어지는 과정에서 네가 궁금해하던 질문이 있었지? 수증기가 어떻게 다 하늘 위로 올라가는지 궁금하다고 했었나?"

"네, 어떻게 올라가는 거예요?"

이런 이야기를 나누는 동안 비행기가 이륙했어요. 비행기가 한 시간에 거의 800킬로미터를 날아가기는 하지만, 비사우까지는 멀긴 아주 멀지요. 3,000킬로미터도 넘는 거리니까요! 나는 시간 생각을 버리고, 손녀와 대화하기로 했어요.

"그럼 대기 속 공기의 '파도'로 다시 한 번 들어가 보자꾸나. 파도에 비유해서 높은 공기와 낮은 공기에 대해 이야기했던 것 기억나니?"

"물론이죠. 여기 공책을 보세요. 제가 이렇게 적어 놓았는걸요. '파도의 높은 부분은 공기의 압력이 높은 고기압, 파도의 낮은 부분은 공기의 압력이 낮은 저기압!' 이건 기억하기도 쉬워요."

“잘했다, 이번에는 축구의 도움을 좀 받을 거야.”

“축구요? 무슨 말씀인지…….”

“공과 축구 경기 말이다.”

“그게 무슨 상관이 있나요? 왠지 점점 수증기와 멀어지고 있는 것 같네요.”

“그래도 시간 낭비는 아니니까 두고 보렴. 어디 보자, 너는 축구에 별로 관심이 없는 것 같다만, 텔레비전에서 축구 경기장의 관중이 ‘파도타기’를 하는 걸 본 적이 있을 거야.”

“파도타기요? 사람들이 차례대로 일어섰다가 다시 앉는 거 아닌가요? 멀리서 보면 마치 파도가 지나가는 것처럼 보이는 거요?”

“그렇지. 사람들이 파도 모양을 만드는 그 파도타기 말이다.”

“대기의 파도와 관련 있는 이야기 맞나요?”

“그렇단다. 축구 팬들의 도움을 받는 거지. 머릿속으로 그림을 그려 보

렴. 사람들이 서 있을 때를 파도의 높은 부분이라고 생각할 수 있겠지?"

"맞아요. 앉아 있을 때는 낮은 부분이고요."

"여기서 일단 한 가지를 알았을 거야. 파도는 이동을 하지만 사람들은 그렇지 않다는 거지."

"그렇군요!"

"물이든 공기든 파도든 이동해도 자리의 이동은 별로 없이 높아졌다가 낮아졌다가 하지. 어때 답을 찾은 것 같니?"

"잠깐 기다려 주세요. 전 아직 답을 못 찾았어요. 축구며 물거품 같은 것에 정신이 팔렸었단 말이에요. 그런데 어디에 답이 있다는 거죠?"

"서 있던 사람들(고기압에 비유할 수 있는 사람들)은 자리에 앉고, 앉아 있던 사람들(저기압에 비유할 수 있는 사람들)은 일어나는 게 답이야. 이 상황을 대기와 비교하면, 고기압이 있는 곳에서는 공기가 내려가고, 저기압이 있는 곳에서는 올라가지."

"뭐…… 네. 간단해 보이네요. 그리고요?"

"공기가 상승하면, 수증기를 가지고 올라가는 거야. 알았지?

"네, 당연하죠. 밑에다 두고 가지는 않겠죠."

"다음은 공기가 상승할 때 공기에 어떤 일이 일어나는지 알아볼 차례야."

"머리가 복잡하지만 기억해 볼게요. 제가 이해하기로는 공기가 상승하는 곳은 기압이 낮아요."

"맞아. 지금부터 퍼즐 조각을 하나씩 맞춰 보자꾸나. 차분히 제자리를 찾아 주다 보면 완벽한 그림을 볼 수 있을 거야!"

"그럼 좋죠. 그래서 공기가 상승할 때 어떤 일이 생기는데요?"

"팽창한단다."

"팽창한다고요? 그러니까 공기가 부풀어서 더 커진다는 거예요?"

"그래. 공처럼 부푼다는 표현이 딱 맞을 것 같구나."

"이런, 세상에! 이번에는 공이라니요. 불쌍한 수증기의 이야기는 또 어디론가 사라져 버리는군요."

"수증기로 금방 돌아올 테니, 걱정 마렴. 내가 조금 더 쉽게 설명해 주마. 어쩌면 다른 길로 새는 것처럼 보일 수도 있지만 말이다."

"전 준비됐어요. 옆길로 새도 괜찮아요."

"혹시 펌프로 자전거 바퀴에 바람을 넣어 본 적 있니?"

"그럼요, 있죠. 그런데 그게 왜요?"

"바람을 넣는 동안 뭔가 특이한 것 없었니?"

"특이한 거요? 글쎄요. 밸브에 튜브를 연결하고, 피스톤을 여러 번 밀어 넣었고, 공기가 들어가서 바퀴가 부풀어 올랐어요."

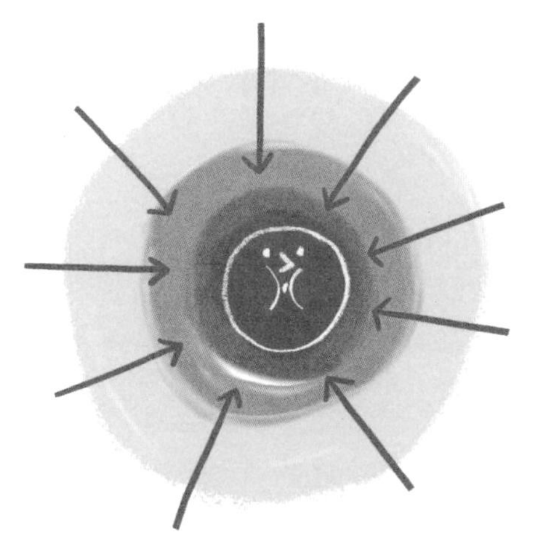

공기가 하강할 때 압축되고
온도가 올라가요.

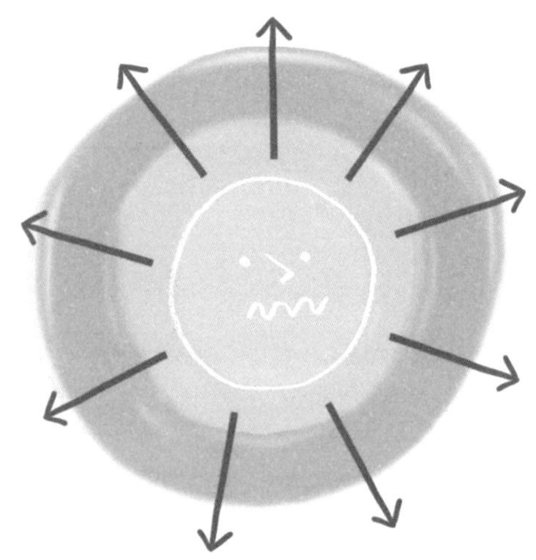

공기가 상승할 때 팽창되고
온도가 내려가요.

"또 뭐가 있었니? 바람을 넣는 동안 무슨 일이 있었을 텐데……."

"음, 글쎄요."

"펌프를 손으로 잡고 있을 때 아무런 느낌도 없었니?"

"펌프에서 열이 나는 것 같았어요. 아빠한테 물어보니까 그게…… 압축 때문이라고 하셨던 것 같은데요?"

"바로 그거야! 공기를 압축하면 열이 생긴단다."

"항상 그런 거예요?"

"그렇단다. 공기를 압축하면 열이 생긴단다. 그리고 공기를 확산시키면 반대되는 현상이 일어나지."

"차가워지나요?"

"맞아, 냉각된단다."

"잠깐만요. 한꺼번에 정리를 좀 해야겠어요. 할아버지가 저기압인 곳에서는 공기가 상승해서 팽창된다고 하셨잖아요."

"그렇단다."

"그러면 공기가 냉각되는군요. 할아버지, 저 잠깐 공책 좀 읽어 볼게요. 저번에 이야기했던 것 중에……. 공기가 냉각이 되면, 공기가 냉각이 되면……. 여기 있네요! 추우면 수증기가 액체 상태의 물방울로 응결이 되고, 그래서 구름이 생겨요. 반대로 열을 가하면 물방울을 수증기 상태로 되돌리고 그렇게 되면 구름이 사라지죠."

"그렇지! 그때그때 공책에 적어 두니까 굉장히 쓸모가 있지? 그걸 기압과 날씨의 관계로 정리해 보자꾸나. 저기압일 때는 공기가 위로 올라가고 공기가 팽창해서 기온이 내려가지. 그러면 수증기가 응결해서 구름이 만들어진단다. 즉, 저기압일 때는 구름이 생겨 날씨가 흐려지고 비가 오는 거란다. 그렇다면 고기압을 거꾸로 생각해 보겠니?"

"고기압일 때는 공기가 아래로 내려가고 공기가 압축돼서 기온이 올라가겠죠? 그러면 열 때문에 물방울이 수증기가 되려고 하면서 구름은 사라지겠네요. 그러니까 고기압일 때는 구름이 없어서 맑은 날씨겠네요. 맞나요?"

"맞아! 이렇듯 모든 현상은 서로 연결된단다. 서로 연결해서 생각하다 보면 결국 해답을 찾게 되지. 지금 너는 배운 것들을 잘 연결하고 있으니 올바른 길을 걷고 있는 거야."

"그렇군요. 저기압은 궂은 날씨, 고기압은 화창한 날씨인 까닭을 이제 잘 알겠어요."

1 저기압일 때 공기가
수증기를 가지고 올라가요.

2 그리고 공기가 올라가면서 넓게 퍼져요.
이때 냉각이 돼요.

3 냉각이 되면서 수증기가 응결돼 수많은 물방울이
만들어져요. = 구름이죠!

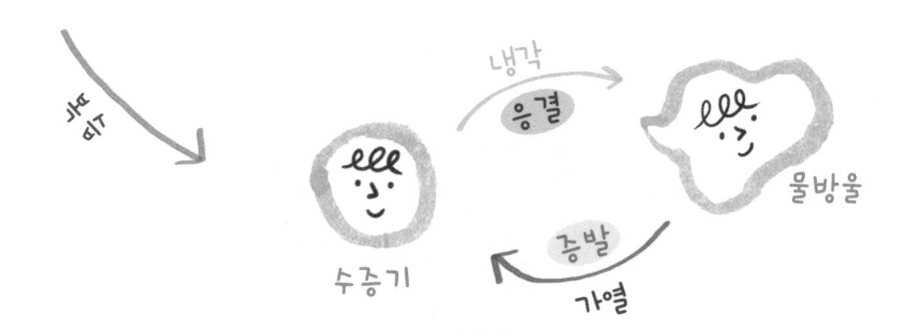

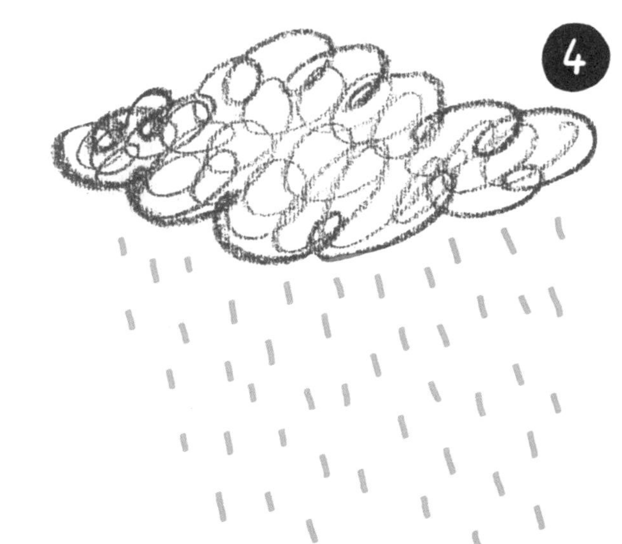

4 구름 속에서 물방울끼리
부딪쳐 물방울이 점점 커지고
무거워지면, 비가 내리게 되죠!
그래서
저기압 = 궂은 날씨!

"궂은 날씨에 대한 재미있는 이야기를 해 주마. 친한 기상학자끼리 모여서 비가 오는 날씨를 '궂은 날씨'라고 표현해야 되는지에 대해 토론을 벌인 적이 있단다. 비를 부정적인 것으로 생각해서 '궂다'라는 좋지 않은 표현을 쓰는 것인데, 사람마다 생각이 다른 법이지."

"하지만 할아버지와 저는 비를 좋아하잖아요. 그냥 비가 오는 날씨라고 말하면 되지 않나요?"

"똑똑하구나! 우리는 비가 오면 궂은 날씨라는 표현 대신 비 오는 날씨라고 부르자꾸나."

"좋아요."

"그건 그렇고 이제 조금 쉬는 게 어떻겠니?"

"저는 공책에 적어 놓은 것을 다시 한 번 살펴볼래요."

“뭐 네가 지겹지 않다면야…….”

“지겹지 않아요. 처음부터 다시 한번 들여다보면 훨씬 더 쉬워 보일 것 같아요.”

“당연하지.”

아르테미시아는 구름 속 모험에 완전히 빠져든 것 같았어요. 원래 아르테미시아는 호기심이 한번 발동하면 깊이 파고드는데, 그런 점이 참 대견하고 기특해요.

천장에 달린 화면 속 지도 위에 현재 위치가 표시되어 있었어요. 거의 절반 정도 온 것 같더군요. 아르테미시아와 여행하는 것이 정말 즐거운데, 다시 혼자서 이탈리아로 돌아갈 생각을 하니 벌써 마음이 허전하네요. 쓸쓸한 마음을 달래면서 잠시 눈을 감았더니 살짝 잠이 들었나 봐요. 눈을 떠 보니 아르테미시아는 여전히 공책을 읽고 있었어요. 가끔 공책 앞부분으로 돌아가 보기도 하고, 내용을 중얼중얼 따라 읽는 모습이 꽤 진지해 보이더군요.

“일어나셨어요, 할아버지?”

“그래, 공부는 잘돼 가니?”

“네, 그런 것 같아요. 할아버지가 말씀하신 그대로예요. 서로 잘 연결되니까 모든 것이 간단해졌어요. 적어 놓은 것을 다시 읽어 보기를 잘했어요. 이제 잊지 않고 다 기억할 수 있어요.”

“분명히 그럴 거야.”

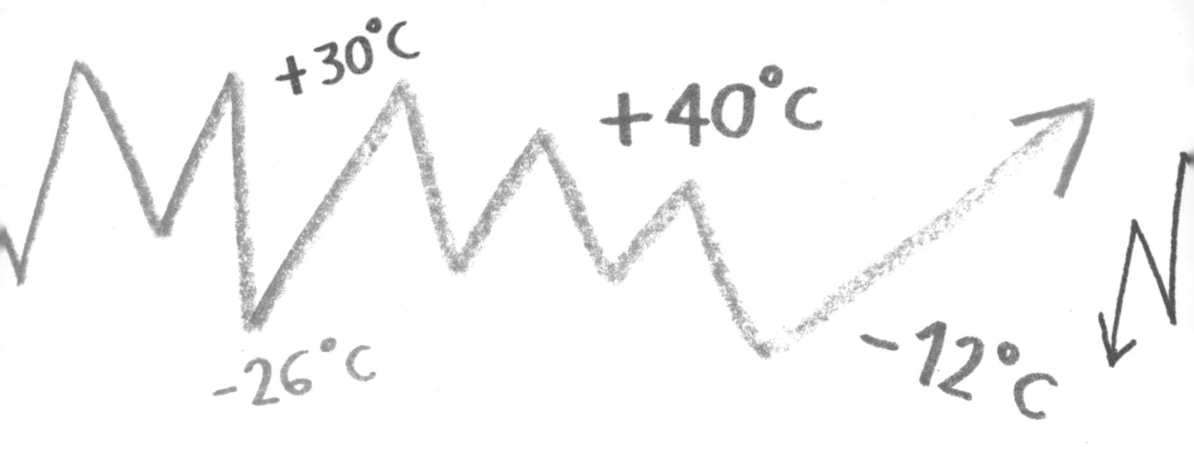

지구 온난화와 기후 변화

"그런데 한 가지 더 여쭤 보고 싶었던 게 있어요. 학교에서 배운 적이 있기는 한데……."

"말해 보렴."

"온실 효과에 관한 건데요, 기후가 변화하고 있다고 들었어요. 제가 기후가 무엇인지 정확하게 설명할 수는 없지만, 어떤 건지는 알아요. 제가 사는 비사우는 항상 덥고 비는 여름에만 오지만, 이탈리아는 겨울에 춥고 여름에는 덥고 비는 어느 계절에나 내리죠."

"내가 보기에는 방금 네가 기후에 대해 거의 완벽하게 정리한 것 같은데? 네가 말한 게 바로 '기후'란다. 기후는 특정 지역에서 오랜 시간 동안 반복되는 날씨의 평균 상태라고 할 수 있지."

"그렇군요. 그런데 그런 기후를 변화시키고 있는 게 온실 효과라고 하던데요. 온실 효과는 안 좋은 건가요?"

"네 생각에 불이 나쁜 거니?"

"글쎄요. 뜨거워서 화상을 입을 수 있으니까 위험하긴 하죠. 하지만 음

식을 만들거나 난방을 할 때는 꼭 필요해요."

"옳지, 핵심은 그거야. 세상 모든 건 좋고 나쁜 것으로 분명하게 구분할 수 없단다. 어떻게 사용하느냐에 따라 달라질 뿐이지. 온실 효과는 사실 '좋은' 거란다. 온실 효과가 없으면 지구에서 생명체를 찾아볼 수 없게 될 테니 말이야."

"정말요?"

"그래, 생명체가 있다 해도 아주 힘들게 살게 되겠지. 왜 온실 효과라고 부르는지 아니?"

"그런데 먼저 온실이 뭔지 모르겠어요. 온실이라는 게 농사를 지을 때 필요한 거라고 들었는데, 비사우에는 없는 것 같아요. 저는 한 번도 못 봤거든요. 그래서 온실이 뭔지, 어떻게 쓰이는 건지 잘 몰라요."

"비사우에는 당연히 없을 거야. 온실은 농작물을 따뜻하게 유지할 때 쓰이는 건데, 비사우는 항상 따뜻하잖아. 온실은 작은 집처럼 생겼지만 벽과 지붕이 유리나 투명한 플라스틱으로 되어 있고, 식물의 씨를 뿌린 작은 규모의 땅에 짓는단다."

"사방과 천장이 다 닫혀 있나요?"

"그래, 가끔 문을 열어서 환기를 시키기도 하지만 너무 추울 때는 닫아 두지."

"그런데 왜 안이 따뜻한 거죠? 안에서 난방을 하나요?"

"햇빛으로 열기가 생기기 때문에 굳이 난방을 하지는 않는단다."

"어떻게 햇빛으로 열기가 생겨요?"

"설명해 주마. 햇빛이 투명한 지붕과 벽을 통과해 들어와서 온실 안의 땅을 가열하지. 빛이 열로 변하는 거라고 말할 수 있겠구나. 열은 빛과 달리 유리나 플라스틱을 통과하지 못하기 때문에 온실 안에 그대로 남아서 따뜻하게 해 주는 거란다."

"그럼 덮개와 같은 거군요!"

"그렇지, 열기를 잡아 두는 덮개라고 할 수 있지. 온실이 없으면 땅이 가열돼도 열기가 사라져 버린단다. 하지만 열기를 잡아 두는 온실이 있으면 한겨울에도 식물이 잘 자랄 수 있지. 아무래도 겨울에는 식물이 자라기에 너무 춥잖니. 식물은 얼면 죽을 수 있거든."

"온실은 대단한 발명품이군요. 그런데 기후와는 무슨 상관이 있는 거죠?"

"지구를 가열하는 태양에 대한 이야기를 한 적이 있는데, 기억나니?"

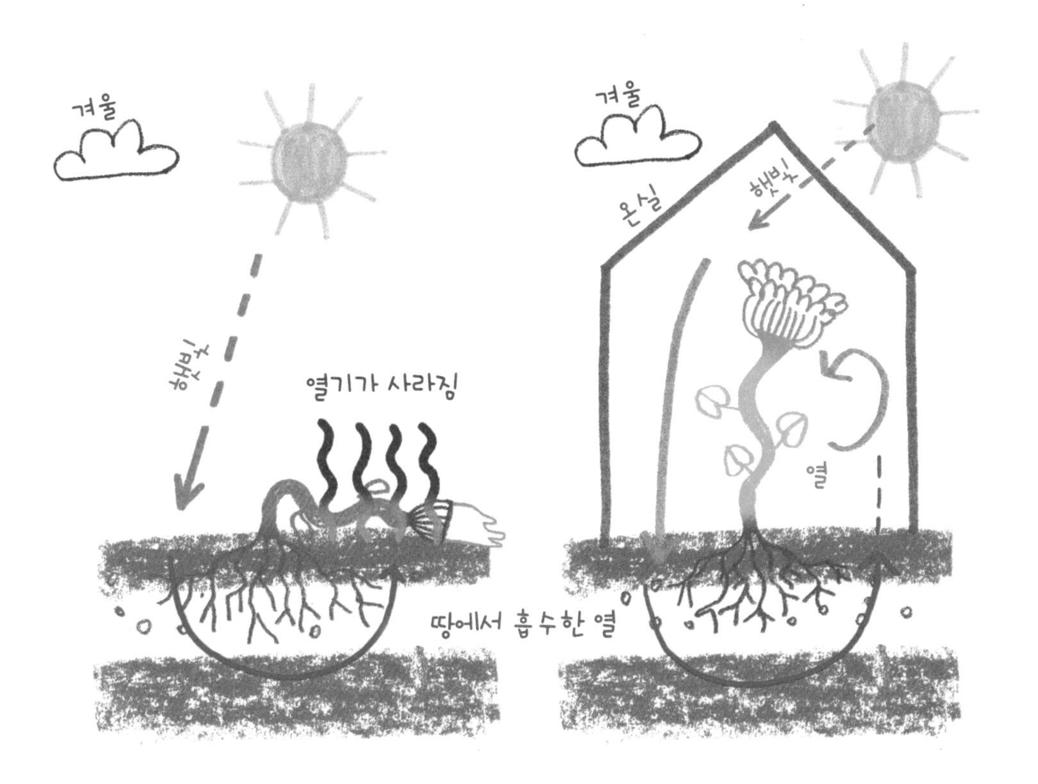

"네, 사실 할아버지가 해 주신 이야기를 적어 놓은 걸 다시 읽어 보다가 온실 효과가 생각났어요."

"그렇구나! 지구의 대기는 온실의 벽과 지붕 같은 작용을 한단다. 대기를 통과한 햇빛이 지표면을 가열하는데, 그 열이 대기 때문에 우주 쪽으로 빠져나가지 못하는 거지. 물론 전부 다는 아니지만 말이야."

"그럼 지구가 거대한 온실인 거예요?"

"바로 그렇단다. 그리고 대기는 지구를 따뜻하게 유지해 주는 역할을 하지. 아까 왜 온실 효과가 필요하다고 했는지 알겠지? 달에는 대기가 없어서 온실 효과도 없어. 그래서 낮에는 달의 온도가 100도가 넘고 밤에는 영하 150도 이하까지 떨어진단다."

"세상에나! 달에서는 살기 어렵겠네요. 그런데 왜 사람들이 온실 효과를 안 좋게 보는 거죠?"

"온실 효과 자체가 문제가 되는 게 아니란다. 너무 지나친 게 문제지. 대기 중에는 열을 흡수해서 지구 밖으로 나가지 못하게 해 주는 가스들이 있단다. 이 가스들을 '온실가스'라고 부르지. 온실가스 가운데 이산화탄소가 가장 많은데, 이산화탄소는 수증기에도 포함돼 있어. 그런데 지금 이 온실가스들이 지나치게 많아져서 대기 내부에 열을 너무 많이 붙잡아 두게 되었단다. 그 결과 지구의 기온이 높아지고 있지. 비유를 하자면 네 몸의 열을 보존해 주는 이불을 덮고 자는 것과 똑같은 거야. 그런데 네가 이불을 두세 장 덮고 자면 더워서 숨이 막히겠지. 지구도 마찬가지란다. 적당한 양의 온실가스를 가진 대기라면 지구의 포근한 이불이지만, 지나친 온실 효과는 지구 전체의 기후를 뒤바꿔 놓는 보일러가 되고 마는 거지."

"그러니까 적당한 온실 효과는 좋지만, 지나치면 안 좋은 거군요."

"바로 그렇단다."

"그럼, 온실 효과가 왜 기후를 바꾸는지 설명해 주세요."

"지구의 기온이 높다고 해서 그 열이 계속 유지되는 것은 아니란다. 잠깐 동안 평상시보다 조금 더 뜨거운 것뿐이지. 지구의 기후는 아주 복잡하단다. 작은 바퀴들이 수없이 들어가 있는 시계를 떠올려 보렴. 그 바퀴들 중에서 몇 개를 조금 더 크거나 조금 더 작은 바퀴로 바꿔 끼우기 시작하면 어떻게 되겠니? 시계가 고장이 날 수도 있고, 멈췄다가 다시 돌아갈 수도 있어. 어쨌든 '정상은 아닌 상태'가 될 거야. 왜냐하면 어떤 것이든 한

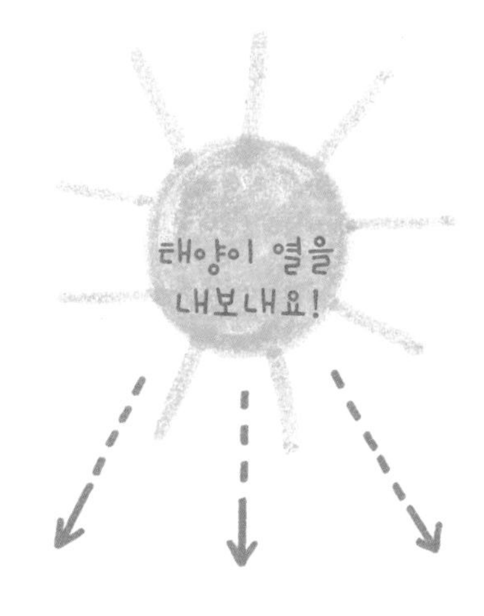

온실가스가 대기 속의
열을 보존해요. 온실 같은
역할을 하는 거죠!

온실가스가 너무 많으면
그만큼 열을 흡수하게 돼서
지구의 기온이 올라가요!

가지가 바뀌면 다른 것까지 변화시키기 때문이지. 마찬가지로 기후도 기온 변화가 너무 크면 예전과 완전히 다르게 작용할 수 있단다. 어떤 지역은 더 추워지고, 어떤 지역은 더 더워질 수 있지. 어떤 곳에서는 예전보다 비가 훨씬 더 많이 내릴 수 있고, 어떤 곳에서는 너무 적게 내릴 수 있어. 또, 평균 기온이 올라가면 남극의 빙하와 그린란드의 빙하가 녹아서 해수면이 상승할 수도 있지."

"맙소사, 할아버지! 그런 이야기를 들으니 무서워요. 제가 좋아하는 섬, 케레는 지대가 무척 낮은데요."

"실제로 케레는 위험 지역이 될 수 있단다. 케레와 비슷한 몰디브 같은 섬들도 마찬가지고. 널 겁주려고 한 말은 아닌데 미안하구나. 하지만 이런 일들이 내일 당장이나 내년에 일어나지는 않을 거야. 아마 10년 후까지도 별일 없을 수도 있지. 어쩌면 일어나지 않을 재앙일 수도 있지만 가능성은 있단다. 그게 중요하지. 너희처럼 미래를 짊어질 어린이들을 위해서 절대 그냥 지나치면 안 되는 문제란다. 사람들은 인간이 세상의 주인이라고 생각하는데, 아니란다. '자연은 부모에게 물려받은 것이 아니라 자식들에게 빌린 것이다!'라는 멋진 말이 있지. 어떠니?"

"그러니까 그 말은……."

"자식들에게 자연을 돌려줘야 하니까 되도록 좋은 상태를 유지해야 한다는 뜻이란다. 그런데 나는 우리 어른들이 지금 잘하고 있는 건지 모르겠다."

"그런데 왜 대기 중에 온실가스가 그렇게 많은 거예요? 그 가스들은 어디서 오는 거죠?"

자연은 부모에게

물려받은 것이 아니라

자식들에게

빌린 것이다!

“일부는 식물과 동물, 화산에서 자연스럽게 만들어진단다. 온실 효과의 주범은 이산화탄소인데, 이산화탄소 자체가 나쁜 게 아니란다. 무엇인가가 탈 때마다 발생되는 이산화탄소 때문에 그 양이 많아진 것이지.”

“무엇이 가장 문제인가요?”

“각종 석유 제품과 석탄 같은 연료들이지. 이 연료들을 많이 사용하면서

대기 중에 이산화탄소가 많이 배출되었단다."

"그래서 사람들이 환경오염을 줄여야 한다고 하는 거군요. 그럼 우리가 해야 할 일은 무엇인가요?"

"그 대답은 간단하지만 어려운 거란다. 간단히 말하면, 오염을 덜 시키면 돼. 하지만 그게 참 어려운 일이지. 우리 둘만 오염을 줄인다고 해서 해결될 일이 아니거든. 환경오염은 아주 큰 문제란다. 공장과 교통수단, 생활 습관 등도 문제지."

"비행기도 환경을 오염시키는 건가요?"

"물론이지. 하지만 지금 우리가 비행기에 타고 있다고 해서 죄책감을 갖지는 마렴. 오염을 줄이려고 세상을 멈출 수는 없어. 그렇게 되면 그것도 큰 재앙이 될 테니까 말이야. 그 대신 우리가 할 수 있는 일을 더 많이 하면 되지."

"오염 문제를 듣고 전 조금 무서워졌어요."

"걱정을 해야지, 무서워하면 안 돼. 무서워하면 아무것도 못 하게 되거든. 걱정은 우리를 자극하고, 어떤 일이든 시도하고 도전하고 실천하게 만들지. 실천이야말로 우리가 해야 할 숙제란다."

"저도 제가 할 수 있는 일을 찾아야겠어요."

"넌 이미 하고 있단다. 예를 들면, 넌 물이 부족한 아프리카에서 살다 보니 물을 아끼는 습관이 몸에 배어 있어. 그건 환경을 보호하는 정말 좋은 습관이란다. 우리는 마치 물이 영원히 마르지 않을 것처럼 펑펑 쓰고 있지.

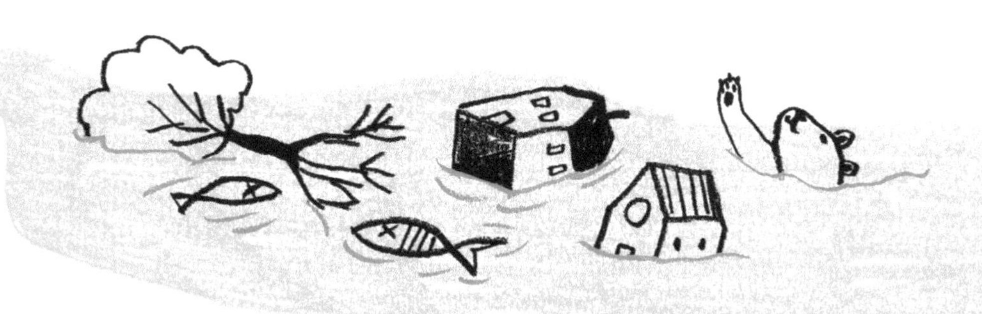

우리가 사용할 수 있는 물의 양이 줄어들 수 있다는 점을 알아 둬야 한단다. 마찬가지로 기후의 변화는 지구의 일부를 더 이상 사용할 수 없는 땅으로 바꿔 놓을 수 있어. 너무 덥거나 너무 추운 곳으로 말이지. 그런 곳에서는 인간이 살 수 없잖니? 그러니까 우리 모두 조금 더 주의를 기울이고 약간의 희생이 뒤따르더라도 지금 사용하고 있는 것들을 걱정하고 보호해야 된단다."

"잘 알겠어요, 할아버지."

미래의 기상학자에게

"이제 거의 다 왔구나. 한 시간 조금 넘게 남은 것 같다. 어이쿠, 왼쪽에 멋진 구름이 보이는구나."

"어떤 구름을 보고 계시는 거예요, 할아버지?"

"저기! 오후에 만들어진 구름이구나. 구름이 만들어지려면 어떤 이유로든 공기가 상승해야 돼. 대부분은 저기압 때문에 올라가지만, 지금 저 구름의 경우처럼 오후에 매우 뜨거워진 땅이 공기를 가열해 상승시키기도 한단다. 이때의 공기는 뜨겁고 매우 가볍지."

"할아버지는 그런 과정을 거쳤다는 걸 어떻게 아셨어요?"

"구름들이 서로 상당히 떨어져 있고 아까는 없었거든. 그리고 이런 건 금방 알아볼 수 있는 상황이란다."

"글쎄요, 할아버지만 알아볼 수 있는 거겠죠."

"내가 하는 일이잖니. 하지만 이런 것들을 보는 안목을 키우면 너도 어렵지 않을 거다."

"하지만 일기 예보는 이런 식으로 하지 않잖아요, 그렇죠?"

"우리가 이 자리에 계속 머물러 있으면 저 구름들이 점점 작아지는 걸 볼 수 있을 거야. 지금 해가 지고 있어서 잠시 후면 열이 충분히 전달되지 못할 테니까. 그리고 저녁 무렵에는 완전히 사라질 거야. 그래, 네 말이 맞다. 지금 나는 부분적인 상황을 관찰해서 곧바로 일어날 상황을 예측한 거니까 이런 건 진정한 일기 예보라고 할 수는 없지."

"그럼 저 구름이나 다른 구름들을 관찰해서는 내일의 날씨가 어떨지 알 수 없는 거군요."

"그래, 나 같은 기상 전문가들이 창밖만 바라보면서 일기 예보를 할 수는 없지."

"그럼 어떻게 하는데요?"

나는 이 질문이 날아올 줄 알고 있었어요. 일기 예보를 하는 게 쉽지, 날씨를 예상하는 과정을 간단명료하게 설명하는 게 훨씬 더 어렵답니다. 사실 자주 받는 질문이기도 하지요. 어른들에게는 편하게 대답을 해 주지만, 아이들에게는 설명하기가 참 어렵네요.

"조금 복잡하기는 하지만 최대한 쉽게 설명해 주마. 30년 전까지는 일기 예보 대부분의 업무를 기상학자가 도맡았단다. 기상학자는 체스 경기를 예상하는 것처럼 날씨의 변화를 예측했지. 예를 들어 초기 상황(=현재의 날씨 상황)을 보고 한쪽 경기자가 어떤 말을 어떻게 움직일지, 상대편 경기자는 거기에 어떻게 대응할지를 생각해 보는 거야. 그러고서 양쪽 경기자가 열 수 정도 두고 난 후에 체스판의 상황이 어떻게 흘러갈 수 있을지 상상하는 거지. 이 상황이 기상학자가 예상한 닷새 후 정도의 일기 예보라고 할 수 있어."

"어렵네요."

"일기 예보는 반드시 전문 기상학자가 해야 한단다. 기상학에 대한 전문 지식과 잘 예측할 수 있는 통찰력을 가지고 있어야 최대한 정확하게 계산할 수 있거든."

"그럼 요즘은 어떤데요?"

"요즘은 컴퓨터가 대부분의 계산을 한단다. 기온, 기압, 바람의 방향, 바람의 속도, 비의 양 등 날씨에 대한 모든 자료와 정보를 컴퓨터에게 미리 '가르쳐' 주지."

"저한테 말해 주신 것들을 모두 컴퓨터에 입력하시는 거예요?"

"훨씬 더 많지. 그런 자료들을 숫자나 기호와 같은 컴퓨터 용어로 입력한단다. 한 가지 더 말해 주마. 계산이 아주 빠른 데다가 지치지도 않는 '슈퍼컴퓨터'가 모든 날씨 정보를 통해 예상 일기도를 미리 만들 수 있단다. 체스로 비유하자면, 경기자들의 경기를 연구하는 것과 같은 거라고 생각하면 될 거야. 공격을 주로 하거나 방어에 힘을 쏟는 등 경기자마다 다른 방식으로 체스를 두잖니. 그 다양한 방식을 계산해서 미리 예상해 보는 거지."

"슈퍼컴퓨터라니! 그럼 컴퓨터가 비가 오거나 날이 추울 거라고 말해 주는 건가요?"

"컴퓨터는 지금부터 닷새 후까지 예상 일기도를 그림이나 사진으로 보여 준단다. 그럼 컴퓨터의 예상을 보면서 분석하는 것은 기상학자의 몫이지. 고기압과 저기압이 어디로 이동할지, 바람이 있을지 없을지, 그 바람이 아주 차가운 바람을 몰고 올지 아주 뜨거운 바람을 몰고 올지, 앞으로 만들어질 구름이 층운형인지 적운형인지, 그리고 비가 약하게 내릴지 퍼부을지, 태풍이 오지는 않을지 등을 파악해야 돼. 어쨌든 사람과 기계가 함께 해야 하는 것이지. 우리가 병이 났을 때를 생각해 보렴. 온갖 검사를 다 받고 나서 의사 선생님이 검사 결과를 본 후에 진찰을 해서 우리가 어디가 어떻게 아픈지 알아내잖니? 검사만으로는 병을 알아낼 수 없고, 의사 선생

님도 기계를 이용한 검사 결과가 없으면 병을 치료하기 훨씬 더 어려워지겠지."

"그렇군요, 이제 확실히 알겠어요. 그래서 가끔 일기 예보가 틀릴 때도 있군요."

"물론이지, 틀릴 수 있어. 하지만 그렇게 멀지 않은 날짜의 예보를 할 때는 오차가 아주 작은 편이란다. 예를 들어 우리가 리스본에 도착했을 때는 비가 안 왔지만 그다음 날 아침에는 비가 왔지. 그러니까 비가 올 거라는 내 예상은 몇 시간 정도만 틀린 거야. 그런데 오늘 내가 일주일 뒤의 리스본 날씨를 예측하면 하루나 이틀 정도의 오차가 생길 수 있겠지. 하지만 이 정도의 오차는 너무 큰 거야. 왜냐하면 하루하루의 날씨가 중요할 수도 있거든."

"맞아요. 일기 예보에서 오늘 비가 온다고 했는데 이틀 뒤에 비가 오면, 쓸데없이 우산을 들고 나간 게 되니까요!"

"바로 그거야! 우리가 기후의 변화에 대해서도 이야기했잖니? 그런데

기후가 변하면 또 한 가지 문제가 생긴단다. 바로 컴퓨터에 문제가 생기는 건데, 지금까지는 우리가 컴퓨터에 '현재'의 날씨와 기후를 가르쳐 놓았고 항상 수학적으로 정확하게 계산을 해서 꽤 만족스러운 답을 얻어 왔단다. 그런데 이상 기후가 발생하면서 지난 30년 동안 컴퓨터에게 가르친 그 모든 것이 쓸모없게 될 수도 있단다. 만약 기후가 변했는데 컴퓨터를 그대로 사용한다면, 컴퓨터에게 체스 두는 법을 가르쳐 놓고 컴퓨터가 전혀 모르는 게임을 하려는 것과 같지."

"그럼 정말 큰일이겠군요."

"맞아! 그러니까 가엾은 우리 지구를 너무 심하게 괴롭히지 말아야 하지 않겠니."

이제 비행기가 비사우를 향해 천천히 내려가네요. 비사우에 도착할 때마다 항상 마음이 들뜬답니다. 비행기는 무사히 활주로에 내려앉았어요.

비행기가 완전히 멈춘 다음 비행기에서 내릴 차례를 기다리는데, 아르테미시아가 내 손을 꼭 잡았어요.

“할아버지, 가르쳐 주신 것들 모두 감사해요. 그런데요, 나중에 기억이 안 나는 게 있거나 어떻게 해야 하는지 잘 모를 때는 어떡하죠? 그때는 할아버지가 멀리 계실 텐데요.”

“아르테미시아, 내가 곧바로 돌아가는 게 아니잖니? 일주일 후에나 돌아갈 거니까 궁금한 게 있으면 그사이에 물어보렴. 그리고 전화를 해도 되고, 화상 통화를 해도 되고, 이메일을 쓸 수도 있잖니.”

“그래도 직접 듣는 거랑은 다르죠.”

“나도 안다, 하지만 어쩔 수 없잖니. 그럼, 정말 궁금한 게 생기면 내가 비행기를 타고 이리로 오마!”

“우아, 그럼 좋겠네요!”

“이러면 어떻겠니? 나에게 배운 내용을 동생 다프너가 잘 알아들을 수 있도록 설명해 보렴. 그러려면 아주 간단하고 쉽게 말해야 하니까 아마도 너는 날씨에 대해 잘 이해하게 될 거다. 물론 너무 선생님처럼 딱딱하게 굴지는 말고, 알았지?”

이렇게 말은 했지만, 아르테미시아가 다프너를 가르치다가 답답하다고 목소리를 높일까 봐 살짝 걱정이 되네요. 다프너는 이제 일곱 살밖에 안 됐거든요! 그래도 나는 아르테미시아가 ‘미래의 기상학자’로서 아주 잘 해낼 거라 믿어요.

드디어 우리는 비행기에서 내려 공항을 향해 걸었어요. 보안 검색대를 지나 짐을 찾고 나오니 가족이 모두 함께 손을 흔들며 환영해 주었어요. 특히 다프너는 언니를 보고 아주 반가워했죠. 떠들썩한 환영 인사로 비사우 주민들의 호기심 어린 시선을 받아야 했어요.

이제 모두 함께 집으로 갈 시간입니다. 비사우는 여느 때와 '다름없이' 무척 덥네요. 이 날씨와 기후가 그대로이길 바라요.

극지방의 얼음이 녹으면 어떻게 될까요?

북극의 얼음이 녹으면 해수면이 높아진다는 말을 자주 들었을 거예요. 하지만 그게 다 사실은 아니랍니다. 북극은 바다로만 이루어져 있어요. 그러니까 북극의 빙하는 땅 위에 있는 것이 아니라 바다 위를 떠다니고 있는 거죠.

간단한 실험을 해 볼게요. 컵에 얼음을 넣고 윗부분까지 물을 가득 채워요. 그럼 북극의 빙하처럼 얼음의 일부가 물 밖으로 나와 있을 거예요. 그리고 얼음이 녹을 때까지 기다려 봐요. 어떻게 될까요? 얼음이 녹아도 물은 넘치지 않는답니다. 얼음의 무게는 물에 잠긴 부분의 부피에 해당하는 물의 무게와 같거든요. 마찬가지로 바다를 떠다니는 빙하가 녹아도 해수면은 높아지지 않아요.

하지만 남극 빙하와 그린란드 빙하는 땅 위에 있는 얼음이에요. 이 얼음들이 녹아서 바다로 흘러가면 해수면은 무시무시하게 높아질 거예요.

이상 기후를 일으키는 엘니뇨와 라니냐가 뭐예요?

엘니뇨는 적도 태평양 지역부터 남미 페루 연안에 걸친 넓은 해역에서 해수면 온도가 평년에 비해 높아지는 현상이에요. 이처럼 바닷물의 온도가 높아지면 수증기가 많이 만들어지고, 수증기가 공기를 타고 위로 올라가서 비구름을 많이 만들게 돼요. 그 비구름이 태평양의 동쪽 지역에 영향을 줘서 비를 엄청나게 퍼붓고 홍수가 나지요. 반대쪽인 태평양의 서쪽 지역에서는 비가 적게 내려 가뭄에 시달리게 되고요.

라니냐는 같은 해역에서 해수면 온도가 평년보다 낮은 상태가 지속되는 현상이지요. 그래서 엘니뇨와는 반대로 바닷물의 온도가 낮아지면서 태평양의 동쪽 지역에는 가뭄이 찾아오고, 태평양의 서쪽 지역에는 많은 비가 내리게 돼요.

엘니뇨와 라니냐를 바닷물의 온도 변화로만 보면 안 돼요. 바닷물의 온도가 변하면서 대기의 흐름을 변화시키고, 가뭄과 홍수 등의 이상 기후가 발생해 농작물에 피해를 주고 있어요. 기온 변화로 바다에 사는 동물들이 죽기도 하고요. 지구 온난화와 함께 눈여겨보면서 이상 기후로 생기는 문제점을 해결하기 위해 노력해야 돼요.

우리나라의 **계절별 날씨**를 알려 드립니다!

따뜻하고 건조한 봄

꽃샘추위가 찾아와요

이른 봄에 날씨가 따뜻해졌다가 잠깐 추워지는 꽃샘추위가 찾아와요. 꽃이 피는 것을 시샘하는 것처럼 춥다는 뜻에서 붙여진 이름이지요.

봄에 황사 현상이 자주 나타나요

황사는 중국과 몽골의 사막 지역에서 날아오는 흙먼지예요. 황사에 섞여 있는 오염 물질 때문에 사람들은 병에 걸리기도 하고, 식물들은 잘 자라지 못해요. 그런데 중국과 몽골의 숲과 들이 점점 사라지고 사막이 넓어지면서, 황사로 인한 피해가 나날이 심각해지고 있어요. 그래서 세계 곳곳에서 황사가 시작되는 사막 지역에 나무를 심는 운동을 하고 있어요.

따뜻한 봄바람이
살랑살랑!

소나기가 자주 내려요

뜨거운 태양열을 받아서 지표면이 데워지면 그 주변의 대기가 불안정해지면서 공기가 빠른 속도로 상승하게 되고 적운형 구름이 만들어져요. 그러면서 소나기가 자주 내리게 돼요.

초여름에 장마가 찾아와요

따뜻한 바다(북태평양)에서 오는 공기 덩어리와 차가운 바다(오호츠크해)에서 오는 공기 덩어리가 만나서 동서 방향으로 비구름이 길게 만들어지면서 여러 날에 걸쳐 비가 내려요. 비가 지나치게 많이 오게 되면 강물이 불어 넘쳐서 홍수가 나기도 해요.

무더위가 와요

장마가 끝나고 나면 기온과 습도가 훌쩍 높아져요. 밤에도 기온이 25도 이상 올라가는 열대야 때문에 너무 더워서 사람들은 잠을 설치기도 해요.

여름에는 태풍이 올라오기도 해요

태풍은 열대 지방의 따뜻한 바다가 태양열로 뜨거워지면서 주변의 공기가 데워지고, 데워진 공기가 엄청난 양의 수증기를 빨아들이면서 발생해요. 태풍이 다가오면 폭우가 쏟아지고, 바람이 강하게 불기 때문에 조심해야 돼요.

서늘하고 건조한 가을

가을 하늘은 파랗고 맑아요

초가을에 늦장마가 오기도 해요. 이때의 비가 공기 중에 있는 먼지를 씻어 줘요. 그리고 가을에는 대기가 안정적이라서 먼지가 높은 곳까지 올라가지 못해서, 파랗고 맑은 하늘을 볼 수 있어요.

알록달록 단풍이 져요

잎이 넓은 활엽수들은 가을에 겨울 준비를 시작해요. 잎으로 보내던 수분과 영양분을 줄이게 되면서, 초록색을 띄는 엽록소가 사라지고, 다른 색소가 보이기 시작해요. 이게 바로 단풍이지요.

가을에는 밤낮의 기온 차이가 커요

일교차가 커서 하루 중 가장 기온이 낮은 새벽에 공기 중의 수증기가 물방울로 바뀌면서 이슬이 만들어지고, 안개가 자주 끼게 돼요.

늦가을에 서리가 내리기 시작해요

늦가을에 들어서면 기온이 점점 떨어지고 밤에는 영하 기온이 돼서 수증기가 바로 얼음이 되는 서리가 내려요.

눈이 내려요

날씨가 추워지면서 영하의 기온이 돼서 곳곳에 얼음이 얼고, 비 대신 눈이 내려요. 갑자기 눈이 많이 내리는 폭설로 피해를 입기도 해요. 차나 비행기가 움직이지 못하게 되고, 여러 시설물이 눈의 무게로 무너져요. 그리고 겨울철 농작물이 얼어 죽기도 하고요. 특히 울릉도와 강원도 산간 지역, 호남 지역은 눈이 많이 내리는 곳이라서 폭설에 대한 대비가 필요해요.

삼한사온 현상이 나타나요

겨울에는 북쪽 육지(시베리아 대륙)에서 찬 공기가 쌓였다가 우리나라로 밀려오면서 아주 추운 날씨인 한파가 찾아와요. 그리고 다시 찬 공기가 쌓일 때까지는 날씨가 따뜻하고요. 이렇게 일주일을 기준으로 사흘은 춥고, 나흘은 따뜻한 날씨 현상을 삼한사온이라고 불러요. 하지만 지구 온난화로 인한 기후 변화 때문에 요즘에는 삼한사온 현상이 잘 나타나지 않아요.

ㅇ

ㅈ

ㅊ

ㅌ

ㅍ

ㅎ

옮긴이 **김현주**

한국외국어대학교 이태리어과를 졸업하고, 이탈리아 페루지아 국립대학과 피렌체 국립대학 언어 과정을 마쳤습니다. EBS의 교육방송 일요시네마 및 세계 명화를 번역하고 있으며, 현재 번역 에이전시 하니브릿지에서 출판기획 및 전문 번역가로 활동하고 있습니다.

『나쁜 회사에는 우리 우유를 팔지 않겠습니다』『나몰라 아저씨, 여기서 이러시면 안 돼요!』『생명을 품은 바다 이야기』『씨앗이 있어야 우리가 살아요』『소에게 친절하세요』 등 여러 책을 우리말로 옮겼습니다.

보고 듣고 생각하는 날씨의 과학
– 기상학자가 알려 주는 날씨와 기후 변화 이야기
초판 1쇄 2016년 5월 1일 | 초판 4쇄 2022년 1월 5일

글쓴이 파올로 소토코로나 | **그린이** 일라리아 파치올리 | **옮긴이** 김현주 | **감수 · 추천** 신방실
펴낸이 김찬영 | **펴낸곳** 책속물고기
출판등록 제2021-000002호
주소 서울특별시 영등포구 양평로 157, 1112호
전화 02-322-9239(영업) 02-322-9240(편집) | **팩스** 02-322-9243
책속물고기 카페 http://cafe.naver.com/bookinfish | **전자메일** bookinfish@naver.com

ISBN 979-11-86670-27-9 13450

이 도서의 국립중앙도서관 출판예정도서목록(CIP)은 서지정보유통지원시스템 홈페이지(http://seoji.nl.go.kr)와 국가자료공동목록시스템(http://www.nl.go.kr/kolisnet)에서 이용하실 수 있습니다.(CIP제어번호 : CIP2016007433)

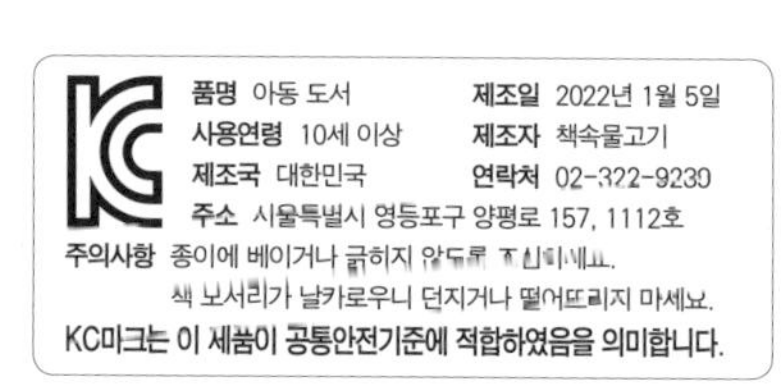